A noite

CB067813

Elie Wiesel
A noite

Título original: *La Nuit*
Copyright © 1958-2007 por Les Editions de Minuit
Copyright da tradução © 2021 por GMT Editores Ltda.

Todos os direitos reservados. Nenhuma parte deste livro pode ser utilizada ou reproduzida sob quaisquer meios existentes sem autorização por escrito dos editores.

tradução: Dorothée de Bruchard

preparo de originais: Sheila Louzada

revisão: Júlia Ribeiro e Priscila Cerqueira

diagramação e capa: Miriam Lerner | Equatorium Design

imagem de capa: Bruce Heinemann | Getty Images

impressão e acabamento: Associação Religiosa Imprensa da Fé

CIP-BRASIL. CATALOGAÇÃO NA PUBLICAÇÃO
SINDICATO NACIONAL DOS EDITORES DE LIVROS, RJ

W647n

Wiesel, Elie, 1928-2016
    A noite / Elie Wiesel ; [tradução Dorothée de Bruchard]. - 1. ed. - Rio de Janeiro : Sextante, 2021.
    160 p. ; 21 cm.

    Tradução de: La nuit
    ISBN 978-65-5564-207-0

    1. Wiesel, Elie, 1928-2016 - Infância e juventude. 2. Judeus - Romênia - Sighetu Marmației - Biografia. 3. Holocausto, Judeu (1939-1945) - Romênia - Sighetu Marmației - Narrativas pessoais. 4. Sighetu Marmației (Romênia) - Biografia. I. Bruchard, Dorothée de. II. Título.

21-72001
                                            CDD: 940.5318092
                                            CDU: 929:94(100)"1939/1945"

Camila Donis Hartmann - Bibliotecária - CRB-7/6472

Todos os direitos reservados, no Brasil, por
GMT Editores Ltda.
Rua Voluntários da Pátria, 45 – Gr. 1.404 – Botafogo
22270-000 – Rio de Janeiro – RJ
Tel.: (21) 2538-4100 – Fax: (21) 2286-9244
E-mail: atendimento@sextante.com.br
www.sextante.com.br

*À memória de meus pais
e de minha irmã mais nova, Tzipora*

Prefácio

por Elie Wiesel

Se em toda a minha vida eu devesse ter escrito um único livro, teria sido este. Tal como o passado vive no presente, todas as minhas obras que vieram depois de *A noite* trazem sua marca, num sentido profundo. E isso vale também para aquelas que tratam de temas bíblicos, talmúdicos ou chassídicos: quem não o leu não poderá compreendê-los.
Por que o escrevi?
Para não enlouquecer? Ou, inversamente, para enlouquecer e assim melhor compreender a loucura, a grande e aterradora loucura que um dia irrompeu na história e na consciência de uma humanidade oscilante entre a força do mal e o sofrimento de suas vítimas?
Teria sido para legar aos homens palavras, lembranças, como meios para se darem mais chances de evitar que a História se repita, com sua implacável atração pela violência?
Ou ainda, muito simplesmente, para deixar um vestígio

da provação que vivi na idade em que um adolescente só conhece da morte e do mal aquilo que descobre nos livros? Alguns leitores me dizem que, se sobrevivi, foi para escrever *A noite*. Não tenho tanta certeza. Não sei como sobrevivi; muito tímido e fraco, não fiz nada para merecer isso. Diria que foi um milagre? Não, não o direi. Se os céus podiam ou queriam realizar um milagre em meu favor, poderiam ou deveriam ter feito o mesmo por outros mais merecedores. De modo que só posso agradecer ao acaso. Tendo sobrevivido, porém, cabe a mim dar sentido à minha sobrevivência. Terá sido para compreender esse sentido que pus no papel uma experiência de todo desprovida de sentido?

A verdade é que, passado o tempo, devo confessar que não sei, ou não sei mais, o que pretendia com minhas palavras. Sei somente que, não fosse por este pequeno livro, minha vida de escritor, ou minha vida simplesmente, não teria sido o que é: a da testemunha que se julga moral e humanamente obrigada a impedir que o inimigo conquiste, postumamente, sua última vitória, a de apagar seus crimes da memória dos homens.

Porque hoje está claro, graças aos documentos autênticos que vêm sendo descobertos de inúmeras fontes: se no início de seu domínio os SS tentaram fundar uma sociedade em que não existissem mais judeus, no final seu objetivo era deixar em seu rastro um mundo em ruínas em que os judeus nunca tivessem existido. É por isso que na Rússia, na Ucrânia, na Lituânia e na Rússia Branca (Bielorrússia), onde quer que os *Einsatzgruppen* executassem a "solução final", assassinando com metralhadoras mais de um milhão de judeus, homens, mulheres e crianças, antes de jogá-los em imensas valas comuns cavadas pelos próprios condenados, unidades especiais depois desenterravam os corpos para queimá-los a céu aberto. E então, pela primeira vez na história, judeus, duas vezes mortos, não puderam ser sepultados em cemitérios.

Em outras palavras, a guerra que Hitler e seus acólitos travaram contra o povo judeu visava igualmente a religião judaica, a cultura judaica, a tradição judaica, ou seja, a memória judaica.

Em certo momento ficou claro para mim que, já que um dia a História seria julgada, eu deveria testemunhar por suas vítimas. Mas não sabia como fazer isso. Tinha tantas coisas a dizer, mas não tinha as palavras para dizê-las. Ciente da pobreza dos meus recursos, via a linguagem se transformar em obstáculo. Seria preciso inventar outra linguagem. Traída, corrompida, pervertida pelo inimigo, como poderia a linguagem ser reabilitada e humanizada? Fome, sede, medo, transporte, seleção, fogo e chaminé: esses vocábulos têm seus significados, porém naquele tempo os significados eram outros. Ao escrever em minha língua materna, iídiche, também ela ferida, eu me detinha a cada frase, pensando: "Não é isso." E recomeçava. Com outros verbos, outras imagens, outras lágrimas caladas. E ainda não era isso. Mas o que seria "isso", exatamente? É aquilo que se esquiva, que se encobre para não ser roubado, usurpado, profanado. As palavras existentes, saídas do dicionário, me soavam magras, pobres, pálidas. Quais delas usar para narrar a derradeira viagem em vagões lacrados rumo ao desconhecido? E a descoberta de um universo insano e frio onde era humano ser desumano, onde homens de uniforme disciplinados e instruídos vinham para matar, enquanto crianças aturdidas e velhos exaustos chegavam para morrer? E a separação dentro da noite em chamas, a ruptura de todos os laços, o estilhaçar de toda uma família, de toda uma comunidade? E o desaparecimento de uma menininha judia linda e comportada, de cabelos dourados e sorriso triste, morta junto com a mãe na mesma noite em que chegaram? Como evocá-las sem que a mão tremesse e o coração se partisse para todo o sempre?

Bem no fundo a testemunha sabia, como às vezes ainda hoje sabe, que seu testemunho não seria acolhido. Somente os que conheceram Auschwitz sabem o que foi aquilo. Os outros jamais saberão.

Será que ao menos compreenderão?

Poderão compreender, aqueles para quem é um dever humano, nobre e imperativo proteger os fracos, curar os doentes, amar as crianças, respeitar e fazer respeitar a sabedoria dos velhos, poderão eles compreender como, naquele universo maldito, os homens se empenhavam em torturar os fracos, matar os doentes, massacrar as crianças e os velhos?

Será porque a testemunha se expressa muito mal? O motivo é outro. Não é porque ela, inábil, se expressa pobremente que vocês não vão compreender; é porque não vão compreender o fato de ela se expressar tão pobremente.

E no entanto sabia ela, no fundo de seu ser, que é proibido calar nessa situação, mesmo sendo difícil, se não impossível, falar.

Então era preciso perseverar. E falar sem palavras. E tentar confiar no silêncio que as habita, que as envolve e as transcende. E tudo isso com o sentimento de que qualquer punhado de cinzas lá, em Birkenau, conta mais que qualquer relato sobre esse lugar amaldiçoado. Pois, apesar de todos os meus esforços para dizer o indizível, "ainda não é isso".

Será esse o motivo por que o manuscrito deste livro – redigido em iídiche sob o título *E o mundo se calava*, traduzido primeiro para o francês e depois para o inglês – foi rejeitado por todos os grandes editores parisienses e americanos, a despeito dos incansáveis esforços do grande François Mauriac? Depois de meses e meses, e visitas pessoais, ele acabou conseguindo uma editora.

Mesmo após os inúmeros cortes que fiz, a versão original em iídiche é extensa. Foi Jérôme Lindon, o lendário diretor da pequena e prestigiosa Éditions de Minuit, quem editou e reduziu a versão francesa. Aceitei seus ajustes no texto, pois temia tudo que pudesse soar supérfluo. Aqui, só a substância importava. Eu recusava a abundância. Contar demais me assustava mais que dizer de menos. Esvaziar toda a memória não é mais saudável que deixá-la transbordar.

Um exemplo: em iídiche, o relato se inicia com estas reflexões desencantadas:

No começo era a fé, pueril; e a confiança, vã; e a ilusão, perigosa.

Acreditávamos em Deus, confiávamos no homem e vivíamos na ilusão de que existe, em cada um de nós, uma centelha sagrada da chama da *Shekinah*, de que cada um de nós traz, nos olhos e na Alma, um reflexo da imagem de Deus.

Foi essa a fonte, se não a causa, de todos os nossos tormentos.

Alguns outros trechos do iídiche trazem mais detalhes sobre a morte do meu pai, sobre a libertação. Por que não os incluir nesta nova tradução? Demasiado pessoais, demasiado íntimos talvez. Devem permanecer nas entrelinhas. Mas ainda me vejo naquela noite, uma das mais penosas de minha vida:

– Leizer [Eliezer, em iídiche], meu filho, venha cá... Quero lhe dizer uma coisa... Só para você... Venha, não me deixe sozinho... Leizer...

Eu ouvi sua voz, entendi o sentido de suas palavras e compreendi a dimensão trágica daquele momento, mas continuei no meu lugar.

Era seu último desejo – ter-me ao seu lado no instante da agonia, quando a alma ia se apartar de seu corpo alquebrado –, mas eu não o atendi.

Tinha medo.

Medo dos golpes.

Por isso me fiz de surdo aos seus lamentos.

Em vez de sacrificar a droga da minha vida e ir ter com ele, segurar sua mão, confortá-lo, mostrar que não estava abandonado, que eu estava ali perto dele, que sentia sua dor, em vez disso continuei deitado no meu lugar, e rezei a Deus para que meu pai parasse de chamar meu nome, que parasse de gritar para não ser espancado pelos responsáveis pelo bloco.

Mas meu pai já não estava consciente.

Sua voz chorosa e enfraquecida seguia rasgando o silêncio e me chamava, a mim somente.

E então? Então o SS se enfureceu, se aproximou do meu pai e lhe bateu na cabeça:

— Cala a boca, velho! Cala a boca!

Meu pai não sentiu as cacetadas; eu senti. Mas não reagi. Deixei o SS espancar meu pai. Deixei meu velho pai agonizar sozinho. Pior: fiquei bravo com ele por estar fazendo barulho, chorando, provocando os golpes...

Leizer! Leizer! Venha cá, não me deixe sozinho...

Sua voz me chegava de muito longe, de muito perto. Mas eu não me mexi.

Nunca vou me perdoar.

Nunca vou perdoar o mundo por ter me acuado e me forçado a isso, por ter me transformado em outra pessoa, por ter despertado em mim o diabo, o espírito mais baixo, o instinto mais selvagem. (...)

Sua última palavra foi meu nome. Um apelo. E eu não respondi.

Na versão em iídiche, o relato não se encerra com a imagem no espelho, mas com uma reflexão um tanto pessimista sobre aquele momento atual:

... E hoje, dez anos após Buchenwald, percebo que o mundo está esquecendo. A Alemanha é um Estado soberano. O exército alemão ressuscitou. Ilse Koch, a mulher sádica de Buchenwald, tem filhos e é feliz. Criminosos de guerra passeiam pelas ruas de Hamburgo e Munique. O passado se apagou, relegado ao esquecimento.

Alemães e antissemitas dizem ao mundo que essa história de seis milhões de judeus assassinados não passa de uma lenda, e o mundo, em sua ingenuidade, acreditará, se não hoje, amanhã ou depois...

... Não sou ingênuo a ponto de achar que este volume vai alterar o curso da história e chacoalhar a consciência da humanidade. Um livro já não tem o poder que tinha antigamente. Aqueles que se calaram ontem hão de se calar amanhã.

Outra pergunta que o leitor estaria no direito de nos fazer: por que uma nova edição, sendo que a primeira existe há tantos anos? Se não era boa ou fiel o suficiente, por que ter esperado tanto tempo para substituí-la por outra melhor e mais próxima do original?

Preciso mesmo lembrar que eu era, naquela época, um desconhecido principiante e que meu inglês, tal como meu francês, ainda deixava a desejar? Fiquei agradecido quando, segundo me informou Georges Borchardt, o agente da Éditions de Minuit, um editor londrino encontrou uma tradutora de iídiche. Posteriormente, li a tradução e me pareceu satisfatória. E nunca mais a reli. Nesse ínterim, outros livros meus tiveram a felicidade de ser traduzidos por Marion, minha esposa. Tradutora fora do comum, ela conhece minha voz e sabe transmiti-la melhor que ninguém. Tive sorte: convidada pelos editores da Farrar, Straus & Giroux a empreender uma nova tradução do texto original, ela aceitou. Tenho certeza de que os leitores lhe serão gratos. Graças a ela me foi permitido corrigir, aqui e ali, uma expressão ou impressão errôneas. Um exemplo: ao narrar a primeira viagem noturna nos vagões lacrados, menciono que algumas pessoas aproveitaram a escuridão para cometer atos sexuais. Isso é falso. No texto em iídiche, digo que "alguns rapazes e moças se deixaram dominar por seus instintos eróticos exacerbados". Verifiquei junto a várias fontes totalmente seguras. No trem, todas as famílias ainda estavam juntas. Algumas semanas de gueto não podiam ter degradado nosso comportamento a ponto de se violarem modos, leis e costumes antigos. Que tenha havido carícias desajeitadas, é possível. Mas foi só. Ninguém foi além. Então, por que escrevi isso em iídiche e permiti que fosse traduzido assim em francês e inglês? Única explicação possível: é de mim mesmo que estou falando. É a mim mesmo que estou condenando. Imagino que o adolescente que eu era, em plena puberdade, embora profundamente devoto, não tenha resistido ao imaginário erótico intensificado pela proximidade física entre homens e mulheres.

Outro exemplo, este menor: trata-se de uma supressão. Ao evocar a oração coletiva improvisada na noite de Rosh Hashaná, conto que fui até meu pai para beijar sua mão, como tinha o costume de fazer em casa; esqueci de especificar que estávamos perdidos na multidão. Foi Marion, sempre ciosa de precisão, quem atentou também para esse detalhe.

Isso posto, ao reler tanto tempo depois este meu testemunho, percebo que fiz bem em não esperar ainda mais para fazê-lo. No passar dos anos, me pegava duvidando – erroneamente – de alguns episódios. Relato aqui minha primeira noite *lá*. A descoberta da realidade dentro dos arames farpados. Um detento veterano nos aconselhando a mentir sobre nossa idade: meu pai tinha que se dizer mais jovem, e eu, mais velho. A seleção. A marcha rumo às chaminés encravadas num céu indiferente. Os bebês jogados na vala em chamas... Não explicitei se estavam *vivos*, embora achasse que estavam. Mas logo pensava: não, estavam mortos, ou eu teria perdido a razão. Colegas do campo, contudo, viram o mesmo que eu vi: estavam vivos ao serem lançados nas chamas. Historiadores como Telford Taylor o confirmaram. E eu não enlouqueci. Essa visão hedionda aparece na nova edição.

Antes de concluir, parece-me importante ressaltar minha convicção de que cada livro, assim como as pessoas, tem seu próprio destino. Há uns que evocam a dor, e outros, a alegria. Pode até suceder que uma obra experimente ambas as coisas.

Descrevi anteriormente as dificuldades com que *A noite* se deparou para ser publicado na França, em 1958. Apesar da crítica favorável, o livro vendia pouco. O tema, tido como mórbido, não interessava a ninguém. Se um rabino o mencionava em seus sermões, sempre havia alguém para se queixar: "Por que afligir nossos filhos com a tristeza do passado?" De lá para cá, as coisas mudaram. Meu pequeno volume tem recebido uma acolhida que eu não esperava. Ele hoje é lido sobretudo pelos jovens, na escola e na universidade. E eles são muitos.

Como explicar esse fenômeno? Há que atribuí-lo, em primeiro lugar, à mudança ocorrida na mentalidade do grande público. Se, nos anos 1950 e 1960, os adultos nascidos antes ou no decorrer da guerra manifestavam por aquilo que tão debilmente chamamos de Holocausto uma espécie de indiferença desatenta e condescendente, esse já não é mais o caso.

Poucos editores, naquele tempo, tiveram a coragem de publicar livros sobre o assunto. Hoje em dia todos publicam regularmente, alguns até todos os meses. Isso também vale para o mundo acadêmico. Na época, poucas instituições de ensino secundárias ou superiores abarcavam o tema em suas aulas, mas agora ele faz parte de todos os currículos escolares. E essas disciplinas são das mais populares.

O tema Auschwitz é, hoje, parte da cultura geral. Filmes, peças de teatro, romances, conferências internacionais, exposições, cerimônias anuais com a participação das mais ilustres personalidades: o tema está por toda parte. O exemplo mais gritante é o do Museu do Holocausto de Washington: foram mais de 22 milhões de visitantes desde sua inauguração, em 1993 até 2007, quando escrevo este prefácio.

Ciente de que a geração dos sobreviventes se reduz dia após dia, o estudante ou leitor contemporâneo se descobre fascinado por sua memória.

Porque, num nível último e superior, é da memória que se trata, de suas origens e sua amplitude, bem como de seu desfecho. Repito: seu transbordamento pode ser tão nocivo quanto seu esvaziamento. Entre um e outro, cabe a nós encontrar a justa medida, na esperança de que esteja próxima da verdade.

Para o sobrevivente que se quer testemunha, o problema é simples: seu dever é depor tanto para os mortos quanto para os vivos e, acima de tudo, para as gerações futuras. Não temos o direito de privá-las de um passado que pertence à memória comum. O esquecimento significaria perigo e insulto. Esquecer os mortos seria matá-los pela segunda vez. E muito embora, com exceção dos assassinos e seus cúmplices, ninguém seja responsável por sua primeira morte, todos o somos pela segunda.

Às vezes me perguntam se sei qual é a "resposta para Auschwitz". Respondo que não; não sei sequer se existe resposta para uma tragédia dessa amplitude. Mas sei que algo próximo a resposta está contido em *responsabilidade*.

Ao se falar sobre aquela época de trevas e maldição, tão distante e tão próxima, "responsabilidade" é a palavra-chave.

Se a testemunha, forçando a si mesma, escolheu testemunhar, foi pelos jovens de hoje, pelas crianças que nascerão amanhã: ela não quer que seu passado se torne o futuro deles.

Apresentação

por François Mauriac

Jornalistas estrangeiros me procuram com frequência. Fico receoso, dividido entre o desejo de expor tudo o que penso e o medo de dar munição a um interlocutor cujos sentimentos sobre a França eu desconheço. Nesses encontros, nunca me permito baixar a guarda.

Naquela manhã, o jovem israelita que me entrevistava para um jornal de Tel Aviv me inspirou de imediato uma simpatia da qual não precisei me defender por muito tempo, já que nossa conversa assumiu rapidamente um tom pessoal. Comecei a evocar lembranças do tempo da ocupação. Nem sempre as circunstâncias que mais nos afetam são aquelas em que nos envolvemos diretamente. Confidenciei ao meu jovem visitante que nenhuma imagem daqueles anos sombrios me marcara mais profundamente que a daqueles vagões, na estação de Austerlitz, repletos de crianças judias... e não os vi com meus próprios olhos, mas minha esposa os descreveu para mim, ainda cheia do horror que sentira. À época, ignorávamos tudo dos métodos de extermínio nazistas. E quem os teria imaginado?! Mas aqueles cordeiros arrancados da mãe já iam muito além do que julgávamos possível. Nesse dia, creio ter tocado pela primeira vez no mistério de iniquidade cuja revelação viria a marcar o fim de uma era e o início de outra. O sonho que o homem ocidental concebeu no século XVIII, cuja aurora julgou ver em 1789 e que até 2 de agosto de 1914 se fortaleceu com o progresso do Iluminismo, com as descobertas da ciência, esse sonho, para mim, perdeu seus últimos contornos diante daqueles vagões lotados de meninos pequenos – e eu ainda estava a mil léguas de supor que iam abastecer a câmara de gás e o forno crematório.

Isso é o que devo ter confidenciado àquele jornalista, e quando exclamei "Quantas vezes não pensei naquelas crianças!", ele me disse: "Eu sou uma delas." Ele era uma delas! Tinha visto desaparecer a mãe, uma adorada irmã mais nova e todos os seus, com exceção do pai, no forno alimentado por criaturas vivas. Quanto ao pai, aquele menino viria a acompanhar seu martírio, dia após dia, sua agonia e sua morte. E que morte! Este livro relata as circunstâncias em que se deu, e deixo que os leitores – os quais deveriam ser tão numerosos quanto os do diário de Anne Frank – as descubram por si mesmos, e que conheçam o milagre que permitiu ao menino escapar.

O que afirmo, porém, é que este testemunho, que nos chega depois de tantos outros e descreve uma abominação que acreditávamos conhecer já por completo, é diferente, singular, único. O que sucede com os judeus da pequena cidade da Transilvânia chamada Sighet, sua cegueira face a um destino do qual teriam tido tempo de escapar e ao qual eles próprios se entregam com inconcebível passividade, surdos aos avisos, às súplicas de uma testemunha que escapou do massacre e lhes conta o que viu com seus próprios olhos; mas eles se recusam a acreditar e o tomam por louco – esses elementos já bastariam para inspirar uma obra à qual, me parece, nenhuma outra poderia se comparar.

Foi por outro aspecto, no entanto, que este livro extraordinário chamou minha atenção. O menino que aqui nos conta sua história era um eleito de Deus. Desde o despertar de sua consciência, vivia unicamente para Deus, nutrido pelo Talmude, aspirando a ser iniciado na Cabala, devotado ao Eterno. Alguma vez havíamos pensado nessa consequência de um horror menos visível, menos flagrante que outras abominações, e no entanto a pior de todas para nós que temos fé: a morte de Deus nessa alma de menino que descobre, de súbito, o mal absoluto?

Tentemos conceber o que se passa dentro dele enquanto seus olhos veem se desfazer no céu os anéis de fumaça preta soprados pelo forno em que serão jogadas sua irmã e sua mãe, depois de milhares de outros:

Nunca esquecerei aquela noite, a primeira noite no campo, que converteu minha vida numa noite longa e trancada a sete chaves.
Nunca esquecerei aquela fumaça.
Nunca esquecerei os rostinhos das crianças cujos corpos vi se transformarem em espirais sob um firmamento calado.
Nunca esquecerei aquelas chamas que consumiram minha fé para todo o sempre.

Nunca esquecerei o silêncio noturno que me tirou por toda a eternidade o desejo de viver.

Nunca esquecerei aqueles momentos que assassinaram meu Deus e minha alma, em que meus sonhos assumiram a face do deserto.

Nunca esquecerei, ainda que fosse condenado a viver por tanto tempo quanto o próprio Deus. Nunca.

Então entendi o que tinha me conquistado de imediato naquele jovem israelita: seu olhar de Lázaro ressuscitado, mas ainda prisioneiro dos tenebrosos espaços por onde andara, tropeçando em cadáveres aviltados. Para ele, o brado de Nietzsche expressava uma realidade quase física: Deus está morto, o Deus de amor, de doçura e consolação, o Deus de Abraão, Isaque e Jacó se desfez para todo o sempre, sob o olhar daquele menino, na fumaça do holocausto humano exigido pela Raça, o mais voraz de todos os ídolos. E em quantos judeus devotos não terá se cumprido essa morte? No dia terrível, entre tantos dias terríveis, em que o menino assistiu ao enforcamento (sim!) de outro menino, que tinha, diz ele, o rosto de um anjo triste, ouviu alguém gemer atrás de si: "Onde está Deus, onde está? Onde está Deus, afinal?" E uma voz dentro dele respondeu: "Onde ele está? Bem ali: pendurado nessa forca."

No último dia do ano judaico, o menino assiste à cerimônia solene do Rosh Hashaná. Ouve aqueles milhares de escravos gritarem a uma só voz: "Bendito seja o nome do Eterno!" Ainda recentemente, ele também se teria prosternado, com que amor, que temor, que adoração! Mas hoje ele se ergue, afronta. A criatura humilhada e ofendida além do concebível para a mente e o coração desafia a divindade cega e surda: "Hoje, eu não implorava mais. Não era mais capaz de gemer. Pelo contrário, me sentia muito forte... Eu era o acusador. E o acusado: Deus. Meus olhos tinham se aberto e eu estava só, terrivelmente só no mundo, sem Deus, sem homem. Sem amor nem piedade. Eu já não passava de cinzas, mas me sentia mais forte que esse Todo-Poderoso a quem por tanto tempo devotara minha vida. No meio daquela assembleia de oração, eu era como um observador estrangeiro."

E o que eu podia responder – eu, que creio que Deus é amor – ao meu jovem interlocutor cujos olhos azuis guardavam o reflexo daquela tristeza de anjo que um dia surgira no rosto do menino enforcado? O que eu lhe disse? Acaso falei daquele israelita, daquele irmão que talvez se parecesse com ele, daquele crucificado cuja cruz venceu o mundo? Acaso afirmei que isso que para ele foi pedra no caminho se tornou, para mim, pedra angular, e que a conformidade entre a cruz e o sofrimento dos homens permanece, a meu ver, sendo a chave do mistério insondável no qual se perdeu sua fé de menino? Sião ressurgiu, afinal, dos crematórios e ossuários. A nação judaica ressuscitou desses milhões de mortos. É através deles que ela está viva outra vez. Não sabemos o preço de uma só gota de sangue, de uma única lágrima. Tudo é graça. Se o Eterno é o Eterno, a Ele pertence a última palavra sobre cada um de nós. Era o que eu deveria ter dito ao menino judeu. Mas só o que soube fazer foi abraçá-lo, chorando.

Capítulo I

Chamavam-no Moshe, o Bedel, como se nunca na vida tivesse tido um sobrenome. Era o "faz-tudo" de uma sinagoga chassídica. Os judeus de Sighet – a cidadezinha da Transilvânia onde passei a infância – gostavam dele. Era muito pobre e vivia na miséria. O pessoal da minha cidade, embora ajudasse os pobres, em geral não era de gostar muito deles. Moshe, o Bedel, era uma exceção. Não incomodava ninguém. Sua presença não trazia aborrecimentos. Tornara-se mestre na arte de passar despercebido, de se fazer invisível.

Fisicamente, era desajeitado como um palhaço. Sua timidez de órfão evocava sorrisos. Eu gostava dos seus grandes olhos sonhadores, perdidos ao longe. Falava pouco. Cantava; ou melhor, cantarolava. Os fragmentos que conseguíamos entender falavam do sofrimento da divindade, do Exílio da Providência, que, segundo a Cabala, espera sua libertação na libertação do homem.

Conheci Moshe, o Bedel, lá pelo fim de 1941. Eu tinha quase 13 anos. Era profundamente religioso. De dia estudava o Talmude e à noite corria até a sinagoga para chorar pela destruição do Templo.

Um dia, pedi ao meu pai que achasse um professor para me orientar no estudo da Cabala.

– Você ainda é muito novo. Maimônides diz que só aos 30 anos podemos nos aventurar no mundo repleto de perigos do misticismo. Você precisa estudar primeiro as matérias básicas que é capaz de entender.

Meu pai era um homem culto, pouco sentimental. Não era dado a efusões, nem mesmo em família. Sempre mais envolvido com os outros do que com os seus. A comunidade judaica de Sighet o tinha em alta consideração; eles o consultavam frequentemente sobre assuntos públicos, até mesmo questões pessoais. Éramos quatro filhos. Hilda, a mais velha; depois, Bea; eu era o terceiro, único rapaz; e a caçula, Tzipora.

Meus pais tinham um comércio. Hilda e Bea os ajudavam. Quanto a mim, diziam, meu lugar era na casa de estudos.

– Não há nenhum cabalista em Sighet – repetia meu pai.

Ele queria tirar aquela ideia da minha cabeça. Mas foi em vão. Eu próprio encontrei um professor, na pessoa de Moshe, o Bedel.

Um dia ele havia me observado enquanto eu rezava, ao entardecer.

– Por que você chora quando reza? – ele me perguntou, como se fôssemos próximos.

– Não sei – respondi, bastante perturbado.

Essa pergunta nunca tinha me ocorrido. Eu chorava porque... porque alguma coisa em mim sentia necessidade de chorar. Era só o que eu sabia.

– Por que você reza? – perguntou ele, passado um instante. Por que eu rezava? Que pergunta estranha. Por que eu vivia? Por que respirava?

– Não sei – respondi, sem jeito e ainda mais perturbado. – Não sei.

A partir desse dia, passei a vê-lo com frequência. Ele me explicava, com muita insistência, que toda pergunta tinha uma força que a resposta já não continha...

– O homem se eleva para Deus através das perguntas que lhe faz – ele gostava de repetir. – É esse o verdadeiro diálogo. O homem interroga e Deus responde. Mas não compreendemos suas respostas. Não temos como compreendê-las. Porque elas vêm do fundo da alma e ali permanecem até a morte. As verdadeiras respostas, Eliezer, você só vai encontrar dentro de si mesmo.

– E por que você reza, Moshe? – perguntei.

– Eu rezo ao Deus que está em mim que me dê a força para Lhe fazer perguntas verdadeiras.

Conversávamos assim quase todas as noites. Ficávamos na sinagoga depois de todos os fiéis terem ido embora, sentados no escuro em que ainda oscilava a luz de umas poucas velas pela metade.

Certa noite, confidenciei a ele como me chateava não encontrar em Sighet um professor que me ensinasse o Zohar, os livros cabalísticos, os segredos da mística judaica. Ele abriu um sorriso indulgente. Depois de um longo silêncio, me disse:

– Existem mil e uma portas para entrar no pomar da verdade mística. Cada ser humano tem a sua. Não se pode se enganar e tentar entrar no pomar por uma porta que é de outro. É perigoso para quem entra e também para quem já se encontra lá dentro.

E Moshe, o Bedel, o pobre desvalido de Sighet, me falava por horas a fio sobre as luzes e os mistérios da Cabala. Foi com ele que comecei minha iniciação. Relíamos juntos, dezenas de vezes, uma mesma página do Zohar. Não para decorá-la, mas para captar a própria essência da divindade.

E ao longo daquelas noites adquiri a certeza de que Moshe, o Bedel, me levaria com ele para a eternidade, para esse tempo em que pergunta e resposta se tornavam UM.

Então um dia os judeus estrangeiros foram expulsos de Sighet. E Moshe, o Bedel, era um estrangeiro.

Amontoados em vagões de gado pelos policiais húngaros, choravam em silêncio. Na plataforma da estação, nós também chorávamos. O trem desapareceu no horizonte; atrás dele restou somente uma fumaça espessa e suja.

Ouvi um judeu dizer atrás de mim, com um suspiro:
– Fazer o quê? É a guerra...

Os deportados foram logo esquecidos. Alguns dias depois de sua partida, comentava-se que estavam na Galícia, trabalhando, e até satisfeitos com sua sorte.

Dias se passaram. Semanas, meses. A vida voltara ao normal. Um vento calmo e apaziguante soprava em todos os lares. Os comerciantes faziam bons negócios, os estudantes viviam entre seus livros e as crianças brincavam na rua.

Um dia, estava entrando na sinagoga quando avistei, sentado num banco junto à porta, Moshe, o Bedel.

Ele contou sua história e a de seus companheiros. O trem dos deportados cruzara a fronteira húngara e, em território polonês, fora assumido pela Gestapo. E tinha parado ali. Os judeus tiveram que descer e subir em caminhões. Os caminhões seguiram para uma floresta. Mandaram-nos descer. Mandaram-nos cavar grandes valas. Quando os deportados terminaram seu trabalho, os homens da Gestapo começaram o deles. Sem paixão, sem pressa, abateram os prisioneiros, que deveriam, um a um, se aproximar do buraco e expor a nuca. Bebês eram jogados para o alto e feitos de alvo para as metralhadoras. Isso foi na floresta da Galícia, perto de Kolomyia. Como é que ele, Moshe, o Bedel, conseguira se salvar? Por milagre. Ferido na perna, foi tido como morto...

Ele passou dias e noites inteiros indo de uma casa judia a outra, contando a história de Malka, a moça que agonizou durante três dias, e a de Tobie, o alfaiate, que implorava que o matassem antes de seus filhos...

Moshe estava mudado. Seus olhos já não refletiam alegria. Ele já não cantarolava. Já não me falava sobre Deus ou a Cabala, somente sobre o que tinha visto. As pessoas não só se negavam a acreditar em seu relato como também se negavam a ouvi-lo.

– Diz essas coisas para sentirmos pena dele. Quanta imaginação...

Ou então:

– Coitado, enlouqueceu.

E Moshe implorava:

– Judeus, me escutem. É só o que lhes peço. Não quero dinheiro, nem pena. Só peço que me escutem! – gritava, dentro da sinagoga, entre a oração do crepúsculo e a da noite.

Eu mesmo não acreditava. Sentava seguidamente em sua companhia, à noite, depois do culto, e escutava suas histórias, tentando entender sua tristeza. Sentia apenas pena.

– Acham que estou louco – murmurava ele, e as lágrimas, como gotas de cera, escorriam dos seus olhos.

Uma vez lhe perguntei:

– Por que quer tanto que acreditem no que diz? Eu, no seu lugar, pouco me importaria se acreditassem ou não...

Ele fechou os olhos, como que para fugir do tempo:

– Você não entende – respondeu, em desespero. – Não pode entender. Eu fui salvo, por milagre. E consegui voltar para cá. De onde tirei essa força? Eu queria voltar a Sighet para contar minha morte para vocês. Para que vocês pudessem se preparar enquanto ainda é tempo. Viver? Já não me prendo à vida. Estou só. Mas quis voltar para avisar vocês. E veja só: ninguém me escuta...

Isso foi lá pelo fim de 1942.

A vida voltou ao normal mais uma vez. A rádio de Londres, que escutávamos todas as noites, transmitia notícias animadoras: bombardeio diário da Alemanha, Stalingrado, preparação do segundo front. Nós, judeus de Sighet, aguardávamos os dias melhores que agora não deviam mais tardar.

Eu continuava me dedicando aos estudos. De dia, ao Talmude, e de noite, à Cabala. Meu pai cuidava do seu comércio e da comunidade. Meu avô tinha vindo passar o ano-novo conosco para assistir aos cultos do célebre Rabino de Borsche. Minha mãe começava a pensar que era hora de encontrar um rapaz adequado para Hilda.

Assim transcorreu o ano de 1943.

Primavera de 1944. Esplêndidas notícias do front russo. Já não restavam dúvidas quanto à derrota da Alemanha. Era apenas uma questão de tempo; meses, talvez semanas.

As árvores estavam em flor. Era um ano igual a tantos outros, com sua primavera, seus noivados, seus casamentos e seus nascimentos.

As pessoas diziam:

– O Exército Vermelho está avançando a passos de gigante... Hitler não vai conseguir nos fazer mal, mesmo que queira...

Sim, até de sua vontade de nos exterminar nós duvidávamos.

Então ele iria aniquilar um povo inteiro? Exterminar uma população espalhada por tantos países? Milhões de pessoas! Com que meios? E em pleno século XX!

E assim as pessoas se interessavam por tudo – por estratégia, diplomacia, política, sionismo –, menos pela própria sorte.

Até mesmo Moshe, o Bedel, se calara. Cansou de falar. Vagueava pela sinagoga ou pelas ruas, olhos baixos, encurvado, evitando o olhar das pessoas.

Nessa época ainda era possível comprar documentos de emigração para a Palestina. Eu tinha falado com meu pai que deveríamos vender tudo, liquidar tudo e partir.

– Estou muito velho, meu filho – respondeu ele. – Muito velho para começar uma vida nova. Muito velho para recomeçar do zero num país distante...

A rádio de Budapeste anunciou a tomada de poder pelo

partido fascista. Miklós Horthy foi forçado pelos invasores a pedir a um líder do partido Nyilas que designasse um novo dirigente.

Isso ainda não bastou para nos preocupar. É claro que tínhamos ouvido falar nos fascistas, mas eles permaneciam sendo uma abstração para nós. Aquilo era uma simples mudança de ministro.

No dia seguinte, outra notícia inquietante: com o aval do governo, as tropas alemãs tinham penetrado em território húngaro.

A inquietação começava a despontar aqui e ali.

– Os judeus de Budapeste estão vivendo num clima de medo e terror – nos contou um amigo nosso, Berkovitz, ao retornar da capital. – Incidentes antissemitas vêm ocorrendo todo dia, nas ruas, nos trens. Os fascistas têm atacado as lojas dos judeus, as sinagogas. A situação está ficando bem séria...

Essas notícias se espalharam por Sighet qual rastilho de pólvora. Rapidamente estavam todos comentando. Mas não por muito tempo. O otimismo renascia em seguida:

– Os alemães não virão até aqui. Vão ficar em Budapeste. Por razões estratégicas, políticas...

Não tinham se passado nem três dias quando os carros do Exército alemão surgiram em nossas ruas.

Angústia. Os soldados alemães – com seus capacetes de aço e seu emblema, uma caveira.

A primeira impressão que tivemos dos alemães, no entanto, foi das mais tranquilizadoras. Os oficiais foram acomodados em casas particulares, de judeus inclusive. Sua atitude para com seus alojadores era distante, porém cortês. Nunca pediam o impossível, não faziam comentários desagradáveis e, às vezes, até sorriam para a dona da casa. Um oficial morava no prédio em frente à nossa casa. Ocupava um quarto no apartamento dos Kahn. Dizia-se que era um homem encantador: tranquilo, simpático e educado. Três dias depois de se instalar, dera uma caixa de bombons à Sra. Kahn. Os otimistas exultavam:

– E então? O que foi que dissemos? Vocês não queriam acreditar. Pois aí estão os *seus* alemães. O que estão achando? Cadê a famosa crueldade deles?

Os alemães já estavam na cidade, os fascistas já estavam no poder, o veredicto já fora pronunciado e os judeus de Sighet ainda sorriam.

Os oito dias da Páscoa.

Fazia um tempo maravilhoso. Minha mãe se ocupava com as tarefas na cozinha. Não havia mais sinagogas abertas. Nos reuníamos nas casas uns dos outros: era melhor não provocar os alemães. Na prática, todo apartamento se convertera em local de oração.

Bebíamos, comíamos, cantávamos. A Bíblia mandava que nos alegrássemos nos oito dias de festa, que fôssemos felizes. Mas já não era de coração. O coração, de uns dias para cá, vinha batendo mais forte. Queríamos que a festa acabasse para não sermos mais obrigados a encenar aquela farsa.

No sétimo dia da Páscoa, foi erguida a cortina: os alemães prenderam os chefes da comunidade judaica.

Dali em diante, foi tudo muito rápido. A corrida para a morte tinha começado.

Primeira medida: durante três dias, os judeus estariam proibidos de deixar seu domicílio, sob pena de morte.

Moshe, o Bedel, apareceu lá em casa correndo e gritou para o meu pai:

– Eu avisei... – E se foi sem esperar resposta.

Nesse mesmo dia, a polícia húngara irrompeu em todas as casas judias da cidade: os judeus estavam proibidos de ter em casa ouro, joias, objetos de valor; tudo isso deveria ser entregue às autoridades, sob pena de morte. Meu pai desceu até o porão e enterrou nossas economias.

Em casa, minha mãe continuava cuidando dos seus afazeres. Às vezes parava e nos fitava em silêncio.

Passados os três dias, novo decreto: todo judeu teria de usar uma estrela amarela.

Notáveis da comunidade vieram falar com meu pai (que tinha contatos nas altas esferas da polícia) para saber sua opinião. Meu pai não achava que a situação estivesse assim tão sombria – ou talvez não quisesse desanimá-los, esfregar sal em suas feridas:

– Estrela amarela? E daí? Ninguém vai morrer por causa disso...

(Meu pobre pai! Do que foi, então, que você morreu?)

Mas já se proclamavam novos decretos. Estávamos proibidos de entrar em restaurantes, em cafés, de viajar de trem, de ir à sinagoga, de sair à rua após as seis da tarde.

Depois veio o gueto.

Dois guetos foram criados em Sighet. Um grande, no meio da cidade, abarcava quatro ruas, e o outro, menor, se estendia por várias ruelas, no subúrbio. A rua onde morávamos, a rua das Serpentes, situava-se no perímetro do primeiro, de modo que permanecemos na nossa casa. Mas, como era de esquina, as janelas que davam para a rua externa tiveram de ser lacradas. Cedemos alguns cômodos a parentes que tinham sido expulsos de seus apartamentos.

A vida, pouco a pouco, foi se ajustando. Os arames farpados que nos cercavam qual muralha não nos inspiravam maiores temores. Até nos sentíamos bastante bem: estávamos somente entre nós. Uma pequena república judia... As autoridades instituíram um Conselho Judaico, uma polícia judaica, uma agência de assistência social, um comitê do trabalho, um departamento de higiene – todo um aparato governamental.

Estávamos todos maravilhados. Não teríamos mais que encarar aqueles semblantes hostis, aqueles olhares cheios de ódio. Acabaram-se o medo, as angústias. Vivíamos entre judeus, entre irmãos...

Ainda havia momentos desagradáveis, é claro. Os alemães vinham todo dia buscar homens para carregar de carvão os trens militares. Havia pouquíssimos voluntários para esse tipo de trabalho. Mas, tirando isso, o clima era pacífico e reconfortante.

A opinião geral era de que ficaríamos no gueto até o fim da guerra, até a chegada do Exército Vermelho. Depois, tudo voltaria a ser como antes. Não era o alemão que reinava no gueto, nem o judeu: era a ilusão.

Dois sábados antes de Pentecostes, sob um sol primaveril, as pessoas passeavam despreocupadas pelas ruas fervilhantes. Conversavam alegremente. As crianças brincavam com avelãs nas calçadas. No jardim de Ezra Malik, eu estudava um tratado do Talmude com alguns colegas.

Caiu a noite. Estavam umas vinte pessoas reunidas no pátio da nossa casa. Meu pai contava anedotas e expunha seu parecer sobre a situação. Ele era um bom contador de histórias.

De súbito, a porta do pátio se abriu e Stern, um ex-comerciante que se tornara policial, entrou e chamou meu pai à parte. Apesar da escuridão que começava a nos envolver, vi que ele empalideceu.

– O que foi? – perguntaram-lhe.

– Não faço ideia. Estão me convocando para uma sessão extraordinária do Conselho. Deve ter acontecido alguma coisa. A ótima história que meu pai estava nos contando ficaria inacabada.

– Vou até lá – disse ele. – Volto assim que puder e conto tudo para vocês. Me esperem.

Estávamos dispostos a aguardar por horas. O pátio virou como que a sala de espera de um centro cirúrgico. Só esperávamos ver a porta se abrir, ver se abrir o firmamento. Outros vizinhos foram avisados e vieram se juntar a nós. Olhávamos o relógio. O tempo se arrastava. O que poderia significar uma reunião tão longa?

– Estou com um mau pressentimento – disse minha mãe.

– Hoje à tarde vi umas caras novas no gueto. Dois oficiais alemães, acho que da Gestapo. Desde que estamos aqui, ainda não tinha aparecido nenhum oficial...

Era quase meia-noite. Ninguém queria ir dormir. Alguns foram ver se estava tudo em ordem em casa e voltaram.

Outros foram de vez, mas nos pediram notícias assim que meu pai chegasse.

A porta enfim se abriu e ele apareceu, pálido. Foi imediatamente cercado.

— Conte! Diga o que está acontecendo! Diga alguma coisa...

Estávamos ávidos por uma palavra de confiança, uma frase dizendo que não havia motivo para inquietação, que tinha sido uma reunião totalmente banal, corriqueira, que tinham tratado de problemas sociais, sanitários...

Mas bastava olhar para o semblante desmoronado do meu pai para se render à evidência:

— Uma notícia terrível — anunciou ele, por fim. — Transportes.

O gueto seria evacuado. Rua por rua, a começar no dia seguinte.

Queríamos saber tudo, todos os detalhes. A notícia nos deixara atordoados, mas fazíamos questão de beber aquele vinho amargo até a última gota.

— Para onde vão nos levar?

Era segredo. Segredo para todos, menos uma pessoa: o presidente do Conselho Judaico. Mas ele não queria, não *podia* contar. A Gestapo ameaçara fuzilá-lo se falasse.

Meu pai comentou, com a voz alquebrada:

— Correm rumores de que estão nos deportando para alguma parte do país para trabalhar em fábricas de tijolos. O motivo seria que o front está muito perto daqui...

E, após um instante de silêncio, acrescentou:

— Só é permitido levar objetos de uso pessoal. Uma mochila, comida, algumas roupas. Mais nada.

E, novamente, um pesado silêncio.
— Vão e acordem os vizinhos — ordenou meu pai. — Digam que se preparem... Sombras à minha volta como que despertaram de um longo sono. E se foram, silenciosas, em todas as direções.

Ficamos um momento a sós. De repente entrou na sala Batia Reich, uma parente que estava morando conosco.
— Tem alguém batendo na janela lacrada, a que dá para fora!
Só depois da guerra vim a saber quem estava batendo. Era um inspetor da polícia húngara, amigo de meu pai. Ele tinha nos dito, antes de entrarmos no gueto: "Fiquem tranquilos. Se houver algum perigo, eu venho avisar vocês." Se tivesse conseguido falar conosco naquela noite, ainda poderíamos ter fugido... Mas quando enfim conseguimos abrir a janela era tarde demais. Já não havia ninguém lá fora.

O gueto despertou. Luzes se acenderam, uma a uma, atrás das janelas.
Entrei na casa de um amigo de meu pai e o acordei, um idoso de barba grisalha, olhos sonhadores, encurvado por longas vigílias de estudo.
— Levante-se, senhor. Levante-se! Prepare-se para pegar a estrada. Vocês serão expulsos amanhã, o senhor e sua família, o senhor e todos os judeus. Para onde? Não me pergunte, senhor, não me faça perguntas. Só Deus sabe. Levante-se, pelo amor de Deus...

Ele não entendeu nada do que falei. Devia estar achando que eu tinha perdido o juízo.
– O que está dizendo, menino? Me preparar para partir? Partir para onde? Por quê? O que está acontecendo? Você enlouqueceu?

Ainda meio adormecido, ele me encarou com o olhar repleto de terror, como que esperando que eu caísse na risada e afinal confessasse: "Volte para a cama, durma. Sonhe. Não aconteceu nada. Eu estava só brincando..."

As palavras se engasgavam na minha garganta seca, paralisando meus lábios. Não consegui dizer mais nada.

Ele então compreendeu. Desceu da cama e, com gestos mecânicos, começou a se vestir. Depois foi até a cama em que dormia sua esposa e tocou sua testa com infinita ternura; ela abriu as pálpebras e tive a impressão de que um sorriso lhe aflorou nos lábios. Em seguida, ele foi até as camas de seus dois filhos e os acordou bruscamente, arrancando-os de seus sonhos. Fui-me embora.

O tempo passava a toda. Já eram quatro da manhã. Meu pai corria de um lado para outro, extenuado, consolando amigos, correndo até o Conselho Judaico para ver se, nesse ínterim, o decreto não tinha sido revogado. Subsistia nos corações, até o último instante, um vestígio de confiança.

As mulheres cozinhavam ovos, assavam carne, preparavam bolos, confeccionavam mochilas. As crianças vagueavam por aí, cabisbaixas, sem saber onde ficar, onde achar um lugar em que não atrapalhassem os adultos. Nosso pátio se convertera numa autêntica feira. Objetos de valor, tapetes preciosos, candelabros de prata, livros de oração, bíblias e outros objetos de culto se espalhavam pelo chão poeirento, sob um céu maravilhosamente azul, pobres objetos que pareciam nunca ter pertencido a ninguém.

Às oito da manhã, a lassidão, qual chumbo derretido, se coagulara nas veias, nos membros, no cérebro. Estava rezando quando, de súbito, ouvi gritos lá fora. Tirei rapidamente meus filactérios e corri para a janela. Policiais húngaros tinham entrado no gueto e bradavam na rua vizinha:

– Todos os judeus para fora! E andem logo!

Policiais judeus entravam nas casas e diziam, com a voz embargada:

– Chegou a hora... É preciso deixar tudo isso...

Os policiais húngaros batiam com a coronha dos fuzis, com cassetetes, em qualquer um, sem motivo, a torto e a direito, velhos e mulheres, crianças e enfermos.

As casas foram se esvaziando uma a uma e a rua se enchendo de gente e de pacotes. Às dez, todos os condenados estavam lá fora. Os policiais fizeram a chamada uma, duas, vinte vezes. O calor era intenso. O suor encharcava os rostos e os corpos.

Crianças choravam pedindo água.

Água! Havia água ali bem perto, nas casas, nos pátios, mas era proibido sair das fileiras.

– Água, mamãe, água!

Policiais judeus do gueto conseguiram, às escondidas, encher alguns jarros. Eu e minhas irmãs, que ainda tínhamos o direito de nos movimentar, estando destinados ao último trem, ajudamos como pudemos.

À uma da tarde, finalmente, foi dado o sinal da partida. No início foi uma alegria, sim, alegria. Achavam, decerto, que não haveria maior sofrimento no inferno de Deus do que ficar ali sentado no pavimento, no meio das bagagens, sob um sol inclemente, que qualquer coisa seria melhor que aquilo. Então puseram-se em marcha, sem um olhar sequer para as ruas abandonadas, para as casas vazias e apagadas, para os jardins, para as lápides... Nas costas de todos, uma mochila. Nos olhos de todos, agora, um sofrimento, banhado em lágrimas. Lenta, pesadamente, a procissão avançou para os portões do gueto.

E eu fiquei parado na calçada, vendo-os passar, incapaz do mínimo movimento. Lá vai o grande rabino, ombros prostrados, rosto barbeado, trouxa nas costas. Sua simples presença em meio aos expulsos bastava para tornar aquela cena irreal. Parecia uma página arrancada de algum livro de contos de fadas, de algum romance histórico sobre o cativeiro na Babilônia ou a Inquisição na Espanha.

Eles passavam diante de mim, uns após os outros, professores, amigos, outros, todos aqueles de quem eu tivera medo, aqueles de quem tinha zombado um dia, aqueles com quem tinha convivido durante anos. Iam embora prostrados, arrastando a mochila, arrastando sua vida, abandonando seu lar e seus anos de infância, encolhidos feito cães escorraçados.

Passavam sem olhar para mim. Deviam me invejar.

A procissão desapareceu na esquina. Mais alguns passos e transpôs os muros do gueto.

A rua parecia uma feira abandonada às pressas. Via-se de tudo: malas, pastas, sacolas, facas, pratos, cédulas de dinheiro, papéis, retratos amarelados. Coisas que por um momento se pensara em levar e acabaram por serem deixadas para trás. Tinham perdido todo o seu valor.

Cômodos abertos em toda parte. Portas e janelas escancaradas, dando para o nada. Tudo era de todos, não pertencia a mais ninguém. Era só se servir. Um túmulo aberto.

Um sol de verão.

Tínhamos passado o dia inteiro em jejum. Mas mal sentíamos fome. Estávamos exaustos.

Meu pai havia acompanhado os deportados até a entrada do gueto. Precisaram passar primeiro pela grande sinagoga, onde foram revistados minuciosamente para ver se não estavam levando ouro, prata ou outros objetos de valor. Houve crises nervosas e golpes de cassetete.

– Quando será a nossa vez? – perguntei a meu pai.

– Depois de amanhã. A menos que... a menos que as coisas se ajeitem. Um milagre, quem sabe...

Para onde estavam levando as pessoas? Ainda não se sabia? Não, o segredo estava bem guardado.

Anoiteceu. Naquele dia, fomos nos deitar cedo. Disse meu pai:

– Durmam tranquilos, meus filhos. Vai ser só depois de amanhã, terça-feira.

A segunda-feira passou como uma nuvenzinha de verão, como um sonho nas primeiras horas da alvorada.

Ocupados em preparar as mochilas, em assar pães e bolos, não pensávamos em mais nada. O veredicto fora pronunciado.

À noite, nossa mãe nos mandou para a cama bem cedo, para armazenar forças, disse ela. A última noite passada em casa.

Ao amanhecer, eu já estava de pé. Queria ter tempo de rezar antes de nos expulsarem.

Meu pai se levantara antes de todos nós para sair em busca de informações. Voltara às oito. Uma boa notícia: não era hoje que íamos deixar a cidade. Seríamos transferidos para o gueto pequeno, onde esperaríamos pelo último transporte. Seríamos os últimos a partir.

Às nove horas, recomeçaram as mesmas cenas do domingo. Policiais com cassetetes berrando: "Todos os judeus para fora!"

Estávamos prontos. Fui o primeiro a sair. Não queria encarar meus pais. Não queria desatar no choro. Ficamos sentados no meio da rua como os outros, dias antes. O mesmo sol infernal. A mesma sede. Só não havia mais ninguém para nos trazer água.

Contemplei nossa casa, onde passara anos procurando o meu Deus, jejuando para apressar a vinda do Messias, imaginando como seria minha vida. Não estava propriamente triste. Não pensava em nada.

– De pé! Contagem!

De pé. Contados. Sentados. De pé novamente. No chão outra vez. Sem parar. Aguardávamos, impacientes, que nos levassem. O que estavam esperando? A ordem veio enfim: "Em frente!"

Meu pai chorava. Era a primeira vez que eu o via em lá-

grimas. Nunca tinha me ocorrido que pudesse chorar. Já minha mãe, semblante fechado, andava sem dizer palavra, pensativa. Olhei para minha irmã mais nova, Tzipora, cabelos louros bem penteados, um casaco vermelho no braço: menininha de 7 anos. Nas costas, uma mochila pesada demais para ela. Tzipora cerrava os dentes: já sabia que não adiantava se queixar. Os policiais distribuíam golpes aqui e ali: "Andem!" Eu não tinha mais forças. O caminho fazia só começar e já me sentia tão fraco...
– Andem! Andem! Rápido, seus molengas! – berravam os policiais húngaros.
Foi nesse momento que comecei a odiá-los, e meu ódio é a única coisa que ainda hoje nos une. Foram nossos primeiros opressores. Foram o primeiro rosto do inferno e da morte.
Mandaram-nos correr. Adotamos o passo de corrida. Quem teria imaginado que éramos tão fortes? Por trás de suas janelas, por trás de suas venezianas, nossos compatriotas nos olhavam passar.
Por fim chegamos ao nosso destino. Bagagens jogadas no chão, nos permitimos desabar:
– Meu Deus, Senhor do Universo, em tua grande misericórdia, tem piedade de nós...

O gueto pequeno. Três dias antes, ainda havia quem morasse ali. As pessoas a quem pertenciam os objetos que estávamos usando. Elas tinham sido expulsas. Já as tínhamos esquecido totalmente.
A desordem era ainda maior que no gueto grande. Os moradores deviam ter sido expulsos sem aviso prévio. Vi-

sitei os quartos onde morava a família do meu tio. Sobre a mesa, um prato de sopa que alguém não terminara de comer. Uma massa esperando para ser levada ao forno. Livros espalhados pelo chão. Será que meu tio havia pensado em levá-los?

Nos instalamos (que palavra!). Fui buscar lenha, minhas irmãs acenderam o fogo. Minha mãe, apesar do cansaço, pôs-se a preparar algo para comer.

– Temos que aguentar firme, temos que aguentar firme – repetia ela.

O ânimo das pessoas não estava tão ruim: já se acostumavam com a situação. Na rua, enveredavam em discursos otimistas. Os boches não teriam tempo de nos expulsar, diziam... Quanto aos que já haviam sido deportados, não havia mais o que fazer, infelizmente. Mas nós, provavelmente nos deixariam viver ali nossa vidinha miserável até o fim da guerra.

O gueto não estava sendo vigiado. Todos podiam entrar e sair livremente. Maria, nossa antiga empregada, foi nos ver. Implorou, aos prantos, que fôssemos para o seu vilarejo, onde tinha nos arranjado um abrigo seguro. Meu pai não quis nem ouvir falar no assunto. Disse a mim e às minhas duas irmãs mais velhas:

– Vão vocês, se quiserem. Vou ficar aqui com sua mãe e a pequena...

Nos recusamos a nos separar, naturalmente.

Noite. Ninguém rezava para a noite passar depressa. As estrelas eram meras centelhas do grande fogo que nos devorava. Se esse fogo um dia se apagasse, nada restaria no céu, só estrelas apagadas, olhos sem vida. Não havia o que fazer senão ir para a cama, para a cama dos ausentes. Descansar, recobrar as forças.

Ao amanhecer, não restava mais nada dessa melancolia. Parecia que estávamos de férias. Diziam:
– Vai ver, quem sabe, é para o nosso próprio bem que estão nos deportando. O front já não está longe, logo há de se ouvir o canhão, por isso estão evacuando a população civil...
– Eles decerto têm medo que nos tornemos partidários...
– Para mim, essa história de deportação não passa de uma grande lorota. É, sim, não riam. Os boches querem simplesmente roubar as nossas joias. Mas sabem que está tudo enterrado, que terão de fazer escavações. Com os proprietários saindo de férias, fica mais fácil...
De férias!
Esses discursos otimistas, nos quais ninguém acreditava, ajudavam a passar o tempo. Os poucos dias que ficamos ali transcorreram de forma bastante agradável, tranquila. As relações entre as pessoas estavam mais amistosas. Não havia mais ricos, notáveis, "personalidades", somente condenados a uma mesma pena – ainda desconhecida.

Sábado, dia do descanso, foi o dia escolhido para nossa expulsão.
Fizemos, na véspera, a refeição tradicional da sexta à noite. Dissemos as bênçãos costumeiras sobre o pão e o vinho

e ingerimos a comida sem dizer palavra. Pressentíamos que era a última vez que estaríamos juntos ao redor da mesa. Passei a noite remoendo lembranças, pensamentos, sem conseguir conciliar o sono.

Ao amanhecer, estávamos todos na rua, prontos para partir. Dessa vez não havia policiais húngaros. Fora firmado um acordo com o próprio Conselho Judaico, que cuidaria de tudo.

Nosso cortejo tomou a direção da grande sinagoga. A cidade parecia deserta. Atrás das janelas, porém, nossos amigos de ontem sem dúvida esperavam a hora de poder pilhar nossas casas.

A sinagoga parecia uma grande estação de trem: bagagens e lágrimas. O altar estava quebrado, as tapeçarias arrancadas, as paredes despidas. Éramos tão numerosos que mal conseguíamos respirar. Foram 24 horas pavorosas passadas ali. Os homens ficaram embaixo; as mulheres, no andar de cima. Era sábado: parecia que tínhamos vindo assistir ao culto. Sem poder sair, as pessoas faziam suas necessidades num canto.

No dia seguinte, pela manhã, rumamos para a estação, onde nos aguardava um trem de transporte de gado. Os policiais húngaros nos fizeram subir, à razão de oitenta pessoas por vagão. Deram-nos alguns pães e uns baldes de água. Conferiram as grades das janelas para ver se estavam firmes. Os vagões foram lacrados. Em cada um deles foi designado um responsável: se alguém escapasse, quem seria fuzilado era ele.

Na plataforma iam dois oficiais da Gestapo, muito sorridentes. Afinal, correra tudo bem.
Um apito prolongado cortou o ar. As rodas começaram a ranger. Estávamos a caminho.

Capítulo II

Nem pensar em deitar, nem sequer em sentarmos todos. Decidimos nos revezar para sentar. O ar era escasso. Felizes dos que estavam perto de uma janela, pois viam desfilar a paisagem em flor.

Ao fim de dois dias de viagem, a sede começou a nos torturar. E o calor se tornou insuportável.

Liberados de qualquer censura social, os mais jovens se entregavam livremente aos seus instintos e, amparados pela escuridão da noite, se acariciavam no meio de todos, sem se importar com ninguém, sozinhos no mundo. Os outros fingiam não ver.

Ainda nos restavam alguns mantimentos, mas nunca comíamos o suficiente para saciar a fome. Economizar era o nosso princípio, economizar para o dia seguinte. O dia seguinte ainda podia ser pior.

O trem parou em Kashau, uma cidadezinha na fronteira com a Tchecoslováquia. Compreendemos, então, que não ficaríamos na Hungria. Nossos olhos se abriram, tarde demais.

A porta do vagão foi aberta. Apareceu um oficial alemão, acompanhado de um tenente húngaro para traduzir seu discurso.

– A partir deste momento, vocês estão sob a autoridade do Exército alemão. Aqueles que ainda tiverem consigo ouro, prata, relógio, devem entregar tudo agora. Quem for encontrado com algo mais tarde será fuzilado no ato. Segundo: os que não se sentem bem podem ir para o vagão-enfermaria. Isso é tudo.

O tenente húngaro passou entre nós com um cesto, recolhendo os derradeiros bens daqueles que não queriam mais sentir o gosto amargo do terror.

– Vocês estão em oitenta neste vagão – acrescentou o oficial alemão. – Se faltar alguém, serão todos fuzilados feito cães...

Os dois se foram. As portas tornaram a se fechar. Tínhamos caído na armadilha, até o pescoço. As portas estavam trancadas, e o caminho de volta, definitivamente bloqueado. O mundo era um vagão hermeticamente fechado.

Havia entre nós uma certa Sra. Schächter, mulher de uns 50 anos, com seu filho de 10 agachado junto a ela. Seu marido e seus dois filhos mais velhos tinham sido deportados no primeiro transporte, por engano. Essa separação a desequilibrara por completo.

Eu a conhecia bem, fora várias vezes lá em casa: uma mulher quieta mas tensa, de olhos ardentes. Seu marido era um homem devoto que passava os dias e as noites na casa de estudos, ela é que trabalhava.

A Sra. Schächter estava transtornada. Já no primeiro dia da nossa viagem se pusera a gemer, a perguntar por que a tinham separado de sua família. Com o tempo, seus gritos se tornaram histéricos.

Na terceira noite, estávamos dormindo, sentados uns contra os outros e alguns de pé, quando um grito agudo rasgou o silêncio:

– Fogo! Estou vendo um fogo! Estou vendo um fogo!

Um instante de pânico. Quem tinha gritado? A Sra. Schächter. No meio do vagão, ao clarão pálido que se derramava das janelas, ela parecia uma árvore ressequida num campo de trigo. Braço estendido, apontava para fora, berrando:

– Vejam, vejam! O fogo! Um fogo terrível! Tem piedade de mim, ó *fogo!*

Alguns homens colaram nas grades para olhar lá fora. Não havia nada, só a noite.

Ficamos um longo momento sob o choque desse despertar terrível. Ainda tremíamos. A cada rangido de roda nos trilhos parecia que um abismo se abriria sob os nossos corpos. Incapazes de adormecer nossa angústia, tentávamos nos consolar: "Está louca, coitada..." Puseram um pano molhado em sua testa para acalmá-la, mas ela continuava a gritar: "Esse fogo! Esse incêndio!..."

Seu filho chorava, agarrando-se à sua saia, buscando suas mãos: "Não é nada, mamãe! Não é nada... Sente-se..." Aquilo me doía mais que os gritos da mãe. Algumas mulheres tentavam acalmá-la: "Logo vai reencontrar seu marido e seus filhos... Daqui a uns poucos dias..."

Ela continuava a gritar, arfante, a voz entrecortada de soluços:

– Judeus, me escutem: estou vendo um fogo! Que chamas! Que braseiro!

Era como se estivesse possuída por um espírito maligno que falasse de lá do fundo de seu ser.

Tentávamos explicar, mais para nos acalmar, recobrar o fôlego, do que para consolá-la: "Deve estar com muita sede, coitada! Por isso é que fala no fogo que a devora..."

Mas era tudo em vão. Nosso terror ia arrebentar as paredes do vagão. Nossos nervos iam ceder. Nossa pele doía. Era como se a loucura fosse se apoderar de nós também. Não aguentávamos mais. Alguns jovens a amarraram e lhe puseram uma mordaça na boca.

O silêncio foi recuperado. Sentado ao lado da mãe, o menino chorava. Voltei a respirar normalmente. Ouvíamos as rodas escandindo nos trilhos o ritmo monótono do trem cruzando a noite. Podíamos voltar a cochilar, descansar, sonhar...

Uma ou duas horas se passaram assim. Um novo grito nos cortou a respiração. A mulher se soltara e agora gritava ainda mais alto:

– Vejam esse fogo! Chamas, chamas por todo lado...

Os jovens a amarraram e a amordaçaram outra vez. Chegaram a lhe dar uns safanões. Os outros incentivavam:

– Tem mesmo que ficar quieta, essa louca! Calar a boca! Não está sozinha aqui!

Bateram-lhe várias vezes na cabeça, com uma força capaz de matar. O garotinho se agarrava nela, sem gritar, sem dizer palavra. Já nem chorava.

Uma noite que não acabava nunca. Perto do amanhecer, a Sra. Schächter se acalmou. Agachada no seu canto, o olhar aparvalhado perscrutando o vazio, já não nos via.

Passou o dia inteiro assim, calada, ausente, isolada no

meio de nós. No início da noite, recomeçou a gritar: "Ali o incêndio!" Mostrava um ponto no espaço, sempre o mesmo. Estávamos cansados de bater nela. O calor, a sede, os cheiros fétidos, a falta de ar nos sufocavam, mas tudo isso ainda não era nada perto daqueles gritos que nos dilaceravam. Mais alguns dias assim e acabaríamos todos aos berros também.

Mas chegamos a uma estação. Os que estavam junto às janelas nos disseram o nome do lugar:

– Auschwitz.

Ninguém nunca tinha ouvido aquele nome.

O trem não tornava a partir. A tarde passou devagar. Até que abriram as portas do vagão. Dois homens foram autorizados a descer para buscar água.

Quando voltaram, contaram que tinham conseguido descobrir, em troca de um relógio de ouro, que aquele era o fim da linha. Seríamos desembarcados. Havia ali um campo de trabalho. Boas condições. As famílias não seriam separadas. Somente os jovens trabalhariam nas fábricas. Os velhos e doentes seriam empregados nas lavouras.

O barômetro da confiança deu um salto. Foi um alívio repentino dos tantos terrores das noites precedentes. Rendemos graças a Deus.

A Sra. Schächter continuava no seu canto, encolhida, calada, indiferente à confiança geral. O filho acariciava sua mão.

O crepúsculo começou a preencher o vagão. Comemos nossos últimos mantimentos. Às dez da noite, cada um buscou uma posição para cochilar um pouco e não demorou estarem todos dormindo. De repente:

– O fogo! O incêndio! Vejam, ali!

Despertados em sobressalto, corremos para a janela. Acreditamos nela, de novo, mesmo que só por um instante. Mas lá fora só havia a noite escura. Envergonhados, voltamos para os nossos lugares, cheios de medo, por mais que resistíssemos. Como ela continuou a berrar, recomeçamos a lhe bater, e só a muito custo conseguimos que calasse a boca.

O responsável por nosso vagão chamou um oficial alemão que avistou na plataforma e pediu a ele que transferissem nossa doente para o vagão-enfermaria.

– Tenham paciência – respondeu o alemão. – Já vão transferi-la.

Por volta das onze horas, o trem se pôs em marcha novamente. Todos acorreram para as janelas. A composição avançava devagar e, quinze minutos depois, reduziu ainda mais a velocidade. Lá fora surgiam arames farpados. Compreendemos que devia ser o campo.

Tínhamos esquecido a Sra. Schächter. De súbito, ouvimos um grito terrível:

– Judeus, vejam! Vejam o fogo! As chamas, vejam!

E dessa vez, com o trem já parado, vimos chamas saindo de uma alta chaminé, lançadas no céu escuro.

A Sra. Schächter se calara por si mesma. Estava outra vez quieta, indiferente, ausente, de volta em seu canto.

Fitávamos as chamas dentro da noite. Um cheiro abominável pairava no ar. Repentinamente, as portas se abriram. Figuras curiosas, todas de casaco listrado e calça preta, pularam para dentro do vagão. Levavam nas mãos uma lanterna e um porrete. Saíram batendo a esmo, antes de bradar:

– Desçam todos! Deixem tudo no vagão! Depressa!
Saltamos. Lancei um último olhar para a Sra. Schächter: seu garotinho segurava sua mão.
À nossa frente, as chamas. No ar, o cheiro de carne queimada. Devia ser meia-noite. Tínhamos chegado. A Birkenau.

Capítulo III

Os objetos queridos que tínhamos carregado até ali ficaram no vagão, e com eles, por fim, nossas ilusões. Um SS a cada dois metros, metralhadora apontada para nós. De mãos dadas, seguíamos a massa.
Um oficial da SS veio ao nosso encontro, cassetete na mão. Ordenou:
– Homens à esquerda! Mulheres à direita!
Seis palavras, ditas tranquilamente, com indiferença, sem emoção. Seis palavras simples, breves. Mas foi nesse instante que me separei de minha mãe. Nem tive tempo de pensar e já senti a pressão da mão de meu pai: estávamos só nós dois. Numa fração de segundo vi minha mãe e minhas irmãs rumarem para a direita. Tzipora segurava a mão de mamãe. Eu as vi se afastarem. Minha mãe afagava o cabelo louro de minha irmã, como que para protegê-la, e eu segui andando com meu pai, com os homens. Não sabia que naquele lugar, naquele instante, estava me separando para sempre de minha mãe e de Tzipora. Continuei andando. Meu pai segurava minha mão.

Atrás de mim, um velho caiu no chão. Perto dele, um SS embainhou o revólver.

Minha mão se crispou no braço do meu pai. Um só pensamento: não me perder dele. Não ficar sozinho.

Os oficiais da SS ordenaram:
– Em filas de cinco.

Um tumulto. Era preciso ficar junto a qualquer custo.
– Ei, garoto, quantos anos você tem?

Quem perguntava era um detento. Eu não via seu rosto, mas sua voz era cansada e quente.
– Quinze.
– Nada disso. Dezoito.
– Não, 15 – insisti.
– Seu tonto. Vê se me escuta.

Depois interrogou meu pai, que respondeu:
– Tenho 50.

Ainda mais furioso, o outro retrucou:
– Não, 50 não. Quarenta. Ouviram? Dezoito e quarenta.

E desapareceu com as sombras da noite. Chegou outro, a boca repleta de palavrões:
– Ô seus imbecis, por que vieram para cá? Por quê, hein?

Alguém se arriscou a responder:
– Está achando o quê? Que foi por prazer? Que pedimos para vir?

Mais um pouco e o outro era capaz de matá-lo:
– Cala essa boca, idiota, ou acabo com você aqui mesmo! Era melhor vocês terem se enforcado lá onde estavam do que virem para cá. Então não tinham ideia do que estavam preparando aqui, em Auschwitz? Não sabiam disso? Em 1944?

Não, não sabíamos. Ninguém tinha nos dito. Ele não podia acreditar no que ouvia. Seu tom foi ficando cada vez mais brutal:

— Estão vendo lá, aquela chaminé? Estão vendo? Estão vendo as chamas? — Sim, estávamos vendo as chamas. — Pois é para lá que vão ser levados. Lá é o túmulo de vocês. Ainda não entenderam? Seus jumentos, mas não entendem nada? Vão jogar vocês no fogo! Queimar! Vocês vão virar cinzas!

Sua fúria estava beirando a histeria. Ficamos imóveis, petrificados. Aquilo tudo não era um pesadelo? Um pesadelo inimaginável?

Ouvi murmúrios aqui e ali:

— Temos que fazer alguma coisa. Não podemos deixar que nos matem, seguir feito gado para o matadouro. Temos que nos revoltar.

Havia entre nós uns rapagões fortes. Tinham com eles punhais e incitavam os companheiros a se atirar sobre os guardas armados.

— O mundo precisa saber de Auschwitz — dizia um garoto. — Os que ainda podem escapar, eles precisam saber...

Os mais velhos, porém, imploravam aos filhos que não fizessem bobagem.

— Não devemos perder a confiança, mesmo com a espada suspensa sobre a nossa cabeça. Assim falavam nossos Sábios.

O vento da revolta abrandou. Continuamos andando até uma encruzilhada. Lá estava o Dr. Mengele, o famoso Dr. Mengele (típico oficial da SS, semblante cruel, não destituído de inteligência, monóculo), uma batuta de maestro na mão, com outros oficiais. A batuta se movia sem trégua, ora para a direita, ora para a esquerda.

Quando vi, já estava diante dele.

– Quantos anos? – perguntou, num tom que soava quase paternal.

– Dezoito. – Minha voz tremia.

– Tem boa saúde?

– Sim.

– Profissão?

Dizer que era estudante?

– Agricultor – me ouvi declarar.

Esse diálogo não durou mais que alguns segundos. A mim pareceu durar uma eternidade.

A batuta apontou para a esquerda. Dei meio passo à frente. Queria ver para onde iam mandar meu pai. Se ele fosse para a direita, eu iria atrás dele.

A batuta, mais uma vez, pendeu para a esquerda. Um peso saiu do meu peito.

Ainda não sabíamos qual era a direção acertada, se a da esquerda ou a da direita, qual caminho levava aos trabalhos forçados e qual para o crematório. Mas fiquei feliz: estava com meu pai. Nossa procissão seguiu avançando, devagar.

Outro detento se aproximou de nós.

– Satisfeitos?

– Sim – respondeu alguém.

– Estão indo para o crematório, seus infelizes.

Parecia dizer a verdade. Não muito longe dali, chamas se erguiam de uma vala, chamas gigantescas. Estavam queimando alguma coisa. Um caminhão chegou na beira do

buraco e despejou sua carga: eram criancinhas pequenas. Bebês! Sim, eu vi, vi com meus próprios olhos... Crianças nas chamas. (Será de surpreender que, desde então, o sono me fuja dos olhos?)
Então era para lá que estávamos indo. Um pouco mais adiante decerto haveria outra vala, maior, para os adultos. Belisquei meu rosto: será que ainda estava vivo? Estava acordado? Custava a acreditar. Como era possível que se queimassem pessoas, crianças, e o mundo se calasse? Não, nada daquilo podia ser verdade. Um pesadelo... Dali a pouco eu ia acordar num sobressalto, o coração disparado, e rever meu quarto de menino, meus livros...

A voz de meu pai me arrancou dos meus pensamentos:

– É uma pena... uma pena você não ter ido com sua mãe. Vi muitos meninos da sua idade indo com a mãe...

Sua voz soava terrivelmente triste. Compreendi que não queria ver o que iam fazer comigo. Não queria ver queimarem seu único filho.

Sua testa estava coberta de um suor frio. Mas falei que não acreditava que se queimassem seres humanos na nossa época, que a humanidade jamais toleraria...

– A humanidade? A humanidade não liga para nós. Tudo é permitido hoje em dia. Tudo é possível, até mesmo fornos crematórios... – disse ele, a voz embargada.

– Se é assim, pai, não quero esperar mais. Vou me jogar nos arames farpados eletrificados. É melhor do que ficar horas agonizando no fogo.

Ele não me respondeu. Chorava, o corpo inteiro sacudido por um tremor. À nossa volta, todos choravam. Alguém começou a recitar o Kadish, a oração pelos mortos. Não sei se já aconteceu, na longa história do povo judeu, de homens recitarem a oração dos mortos por si mesmos.

– *Yitgadal veyitkadash shemê rabá...* Que Seu Nome seja engrandecido e santificado... – murmurava meu pai.

Senti pela primeira vez a revolta crescer dentro de mim. Por que eu deveria santificar o Seu Nome? Se o Eterno, Senhor do universo, o Eterno e Terrível Todo-Poderoso se calava, o que eu teria para Lhe agradecer?

Seguimos caminhando. Aos poucos nos aproximávamos da vala, que exalava um calor infernal. Só mais vinte passos. Se quisesse me matar, o momento era aquele. Nossa fila estava a apenas uns quinze passos. Eu mordia o lábio para que meu pai não ouvisse meus dentes batendo. Mais dez passos. Oito. Sete. Andávamos devagar, como se em uma procissão fúnebre, seguindo nosso próprio enterro. Só mais quatro passos. Três passos. Pronto, ali estava, bem perto de nós, a vala e suas chamas. Reuni todas as forças que me restavam para sair correndo da fila e me jogar nos arames farpados. No fundo do meu coração, dei adeus a meu pai, ao universo inteiro, e, involuntariamente, palavras se formaram e surgiram em meus lábios num murmúrio: *Yitgadal veyitkadash shemê rabá...* Que Seu Nome seja elevado e santificado... Meu coração ia explodir. Pronto. Estava diante do anjo da morte...

Não estava. A dois passos da vala, nos mandaram virar à esquerda e nos fizeram entrar num barracão de madeira.

Apertei com força a mão do meu pai. Ele me disse:

– Lembra da Sra. Schächter, no trem?

Nunca esquecerei aquela noite, a primeira noite no campo, que converteu minha vida numa noite longa e trancada a sete chaves.

Nunca esquecerei aquela fumaça.

Nunca esquecerei os rostinhos das crianças cujos corpos vi se transformarem em espirais sob um firmamento calado.

Nunca esquecerei aquelas chamas que consumiram minha fé para todo o sempre.

Nunca esquecerei o silêncio noturno que me tirou por toda a eternidade o desejo de viver.

Nunca esquecerei aqueles momentos que assassinaram meu Deus e minha alma, em que meus sonhos assumiram a face do deserto.

Nunca esquecerei, ainda que fosse condenado a viver por tanto tempo quanto o próprio Deus. Nunca.

O barracão onde nos fizeram entrar era muito comprido. No telhado, umas claraboias azuladas. Deve ser esse o aspecto da antecâmara do inferno. Tantos homens apavorados, tantos gritos, tanta brutalidade bestial.

Dezenas de detentos nos receberam, de porrete na mão, batendo a esmo, em qualquer parte, em qualquer um, sem motivo algum. Ordens: "Tirem toda a roupa! Depressa! *Raus!* Fiquem somente com o cinto e os sapatos na mão..."

Era para jogarmos nossas roupas nos fundos do barracão, onde já havia algumas amontoadas. Ternos novos, velhos, casacos rasgados, farrapos. Todos iguais: nus. Tiritando de frio.

Alguns oficiais da SS circulavam pela sala, buscando homens de físico robusto. Se o vigor era tão apreciado, será que não deveríamos tentar nos fazer de fortes? Meu pai achava o contrário. Era melhor não se colocar em evidência. Teríamos o mesmo destino dos outros. (Mais tarde viríamos a saber que tínhamos razão. Os escolhidos daquele dia foram incorporados ao *Sonderkommando*, o grupo que trabalhava nos crematórios. Bela Katz, filho de um grande comerciante da minha cidade, fora levado a Birkenau no primeiro transporte, uma semana antes de nós. Quando soube da nossa chegada, nos mandou um bilhete contando que, escolhido por ser forte, ele mesmo colocara o corpo do pai no crematório.)

As bordoadas continuavam a chover:

– Para o barbeiro!

Cinto e sapatos na mão, me deixei arrastar até os barbeiros. Suas máquinas arrancavam os cabelos, raspavam todos os pelos do corpo. Em minha cabeça ressoava sempre o mesmo pensamento: não me afastar de meu pai.

Liberados dos barbeiros, ficamos vagueando em meio à massa de gente, encontrando amigos, conhecidos. Esses encontros nos enchiam de alegria – sim, de alegria: "Deus seja louvado! Você ainda está vivo!"...

Outros, porém, choravam. Aproveitavam o que lhes restava de forças para chorar. Por que tinham deixado que os levassem para lá? Por que não tinham morrido em suas camas? Os soluços entrecortavam suas frases.

De repente, alguém se jogou nos meus braços e me deu um beijo: Yechiel, irmão do Rabino de Sighet. Chorava amargamente. Pensei que chorasse de alegria por ainda estar vivo.

– Não chore, Yechiel – falei. – É uma pena que os outros...

– Não chorar? Estamos à beira da morte. Daqui a pouco seremos nós lá dentro... Entende? Dentro. Como posso não chorar?

Pelas claraboias azuladas do telhado eu via a noite se dissipando aos poucos. Tinha deixado de sentir medo. E um cansaço inumano me assolava.

Os ausentes já nem nos vinham à memória. Ainda falávamos neles – "O que lhes terá acontecido?" –, mas pouco nos preocupávamos com sua sorte. Não conseguíamos pensar em coisa alguma. Os sentidos estavam obstruídos, tudo se dissolvia numa névoa. Já não nos prendíamos a nada. O instinto de preservação, de autodefesa, o amor-próprio – tudo isso sumira. Num derradeiro rasgo de lucidez, tive a impressão de sermos almas malditas vagando no nada, almas condenadas a vagar pelos espaços até o fim dos tempos, em busca de redenção, à procura do esquecimento – sem esperança de encontrá-lo.

Lá pelas cinco da manhã, nos expulsaram do barracão. Os "kapos" nos batiam de novo, mas eu deixara de sentir a dor das pancadas. Uma brisa gelada nos envolvia. Estávamos nus, cinto e sapatos na mão. Uma ordem: "Correr!" E corremos. Ao fim de alguns minutos de corrida, outro barracão.

Um barril de querosene na porta. Desinfecção. Mergulham um por um lá dentro. Em seguida, ducha quente. Às pressas. Saindo da água, somos enxotados para fora. Correr mais uma vez. Outro barracão: o depósito. Mesas muito compridas. Montes de uniformes de prisioneiros. Corremos. Ao passar, nos jogam calça, blusão, camisa e meias.

Em poucos segundos tínhamos deixado de ser homens. Se a situação não fosse trágica, poderíamos ter caído na gargalhada. Que trajes! Meir Katz, um gigante, ganhou calça de menino, e Stern, um homenzinho magro, uma camisa em que se perdia. Logo tratamos de fazer as trocas necessárias.

Dei uma olhada no meu pai. Como estava mudado! Seus olhos tinham escurecido. Queria lhe dizer alguma coisa, mas não sabia o quê.

A noite se fora de vez. A estrela da manhã brilhava no céu. Eu também tinha me tornado outro homem. O estudante do Talmude, o menino que eu era tinha se consumido nas chamas. Só restara uma forma, parecida comigo. Uma chama negra tinha penetrado em minha alma e a devorado.

Tantas coisas haviam acontecido em poucas horas que eu perdera totalmente a noção do tempo. Quando tínhamos deixado nossas casas? E o gueto? E o trem? Só uma semana? Uma noite – *uma única* noite?

Há quanto tempo estávamos ali parados no vento gelado? Uma hora? Uma simples hora? Sessenta minutos?

Só podia ser um sonho.

Não longe dali, detentos trabalhavam. Uns cavavam buracos, outros transportavam areia. Nenhum deles nos lançou um olhar sequer. Éramos árvores secas no coração do deserto. Pessoas falavam atrás de mim. Eu não tinha vontade alguma de ouvir o que diziam, de saber quem falava e sobre o que falavam. Ninguém ousava erguer a voz, embora não houvesse nenhum vigia por perto. Todos sussurravam. Talvez devido à espessa fumaça que envenenava o ar e grudava na garganta...

Fizeram-nos entrar em outro barracão, no campo dos ciganos. Em filas de cinco.

– E não se mexam!

Não havia piso. Um telhado e quatro paredes. Os pés afundavam na lama.

Recomeçou a espera. Dormi de pé. Sonhei com uma cama, com um afago de minha mãe. E acordei: estava de pé, os calcanhares na lama. Alguns caíam no chão e lá ficavam. Outros exclamavam:

– Estão loucos? Mandaram ficar de pé. Querem nos arranjar problemas?

Como se todos os problemas do mundo já não tivessem desabado sobre nós. Fomos todos, aos poucos, sentando na lama. Mas era preciso se levantar o tempo todo, toda vez que um *kapo* entrava para ver se havia alguém com sapatos novos. E tínhamos que entregá-los. De nada adiantava recusar: choviam golpes e, no fim das contas, ficava-se sem os sapatos de qualquer forma.

Eu mesmo calçava sapatos novos. Mas ninguém reparou, pois estavam cobertos por uma grossa camada de lama. Agradeci a Deus, numa prece improvisada, por ter criado a lama em seu infinito e maravilhoso universo.

O silêncio se adensou de repente. Tinha entrado um oficial da SS e, com ele, o cheiro do anjo da morte. Nossos olhos se fixaram em seus lábios carnudos. Do meio do barracão, ele anunciou:

– Vocês estão num campo de concentração. Em Auschwitz.

Uma pausa. Ele observou o efeito produzido por suas palavras. Seu rosto permanece até hoje em minha memória. Um homem alto, por volta dos 30 anos, o mal gravado na testa e nas pupilas. Nos fitava como a um bando de cães leprosos agarrados à vida.

– Lembrem-se disso – prosseguiu. – Lembrem-se sempre, gravem bem na memória. Vocês estão em Auschwitz. E Auschwitz não é uma casa de repouso. É um campo de concentração. Vocês, aqui, terão que trabalhar. Ou irão direto para a chaminé. Para o crematório. Trabalho ou crematório: vocês escolhem.

Já tínhamos passado por muita coisa naquela noite, achávamos que mais nada podia nos assustar. Mas suas palavras secas nos fizeram estremecer. A palavra "chaminé" não era, ali, uma palavra vazia de sentido: pairava no ar, misturada com a fumaça. Talvez fosse a única palavra que tivesse um sentido real. Ele foi embora. Apareceram os *kapos*, gritando:

– Chaveiros, marceneiros, eletricistas, relojoeiros: quem for qualificado dê um passo à frente!

Os outros fomos levados para outro barracão, esse de pedra. Com permissão para sentar. Um deportado cigano nos vigiava.

Meu pai, de repente, foi tomado de cólicas. Levantou-se, foi até o cigano e perguntou educadamente, em alemão:

– Com licença... Pode me dizer onde fica o banheiro?

O cigano o fitou longamente, dos pés à cabeça. Como tentando convencer a si mesmo de que o homem que lhe dirigia a palavra era mesmo uma criatura de carne e osso, um ser vivo com corpo e barriga. E de repente, como que despertando de um sono letárgico, lascou em meu pai uma bofetada tamanha que ele foi ao chão e voltou de quatro para o seu lugar.

Fiquei petrificado. O que tinha acontecido comigo? Acabavam de bater no meu pai na minha frente e eu não tinha sequer pestanejado. Tinha olhado e ficado quieto. Ainda ontem, teria cravado as unhas naquele criminoso. Teria mudado tanto assim? Tão rápido? O remorso começou a me corroer. Pensei apenas uma coisa: nunca vou perdoá-los por isso. Meu pai deve ter me entendido, pois sussurrou no meu ouvido: "Não foi nada." Ainda se via em seu rosto a marca vermelha da mão.

– Todos para fora!
Uns dez ciganos tinham vindo juntar-se ao nosso guarda. Cassetetes e chicotes estalavam à minha volta. Meus pés corriam por conta própria. Eu tentava me proteger atrás dos outros. Um sol de primavera.
– Em filas de cinco!
Os prisioneiros que eu tinha avistado de manhã estavam trabalhando ali do lado. Não havia nenhum guarda por perto, somente a sombra da chaminé... Entorpecido pelo sol e por meus sonhos, senti que me puxavam pela manga. Era meu pai: "Vai, filho."
Andávamos. Portões se abriam, se fechavam. Seguíamos andando entre os arames farpados eletrificados. A cada passo, uma placa branca com uma caveira preta nos encarando. Uma inscrição: CUIDADO! RISCO DE MORTE! Que piada. Por acaso havia ali um único lugar onde não se corresse risco de morte?
Os ciganos pararam próximo a um barracão. Foram substituídos pelos SS, que nos cercaram. Revólveres, metralhadoras, cães policiais.
A marcha tinha durado meia hora. Olhando em volta,

percebi que os arames farpados estavam atrás de nós. Tínhamos saído do campo.
Era um lindo dia de maio. Aromas de primavera pairavam no ar. O sol se punha a oeste.
Mal andamos alguns instantes, porém, e avistamos os arames farpados de outro campo. Um portão de ferro e, acima, a inscrição: O TRABALHO LIBERTA!
Auschwitz.

Primeira impressão: era melhor que Birkenau. Construções de concreto de dois andares em vez de barracões de madeira. Pequenas hortas aqui e ali. Levaram-nos para um desses "blocos". Sentados no chão junto à porta, retomamos a espera. De tempos em tempos, mandavam alguém entrar. Eram as duchas, formalidade obrigatória à entrada de todos os campos. Se fôssemos de um para outro várias vezes ao dia, tínhamos que passar pelos banhos toda vez.
Ao sair da água quente, ficamos tiritando na noite. As roupas permaneceram no bloco, tinham prometido nos dar outras.
Lá pela meia-noite, nos mandaram correr.
– Mais rápido! – berravam os guardas. – Quanto mais rápido correrem, mais cedo vão deitar.
Ao fim de alguns minutos de carreira desabalada, chegamos a outro bloco. O responsável estava à nossa espera na entrada. Era um jovem polonês que sorria para nós. Começou a falar, e, apesar do cansaço, escutamos pacientemente.
– Camaradas, vocês estão no campo de concentração de Auschwitz. Uma longa jornada de sofrimento os espera.

Mas não percam a coragem. Já escaparam do perigo maior: a seleção. Pois bem, reúnam todas as suas forças e não percam a esperança. Todos nós haveremos de ver o dia da libertação. Tenham confiança na vida, mil vezes confiança. Expulsem o desespero e estarão afastando a morte. O inferno não dura eternamente... E agora, um pedido, ou melhor, um conselho: que haja camaradagem entre vocês. Somos todos irmãos e sofremos todos o mesmo destino. Sobre nossas cabeças paira a mesma fumaça. Ajudem uns aos outros. É a única maneira de sobreviver. Mas chega de conversa, vocês estão cansados. Prestem atenção: vocês estão no bloco 17, eu sou o responsável pela ordem aqui. Quem tiver alguma queixa contra alguém, pode vir falar comigo. É só isso. Vão dormir. Dois por cama. Boa noite.
As primeiras palavras humanas.

Tão logo subimos nos beliches, caímos num sono pesado.
Pela manhã, os "veteranos" nos trataram sem brutalidade. Fomos ao banheiro. Deram-nos roupas novas. Café.
Saímos do bloco por volta das dez horas, para que procedessem à limpeza. Lá fora, o sol nos aqueceu. Nosso ânimo estava bem melhor. Sentíamos os benefícios da noite de sono. Amigos se encontravam, trocavam algumas palavras. Falava-se de tudo, exceto dos desaparecidos. A opinião geral era que a guerra estava prestes a acabar.
Lá pelo meio-dia nos deram sopa, um prato de sopa grossa para cada um. Embora torturado pela fome, me neguei a tomá-la. Ainda era o menino mimado de antes. Meu pai comeu minha ração.

À sombra do bloco, fizemos em seguida uma pequena sesta. O oficial SS do barracão lamacento devia ter mentido: Auschwitz era mesmo uma casa de repouso...

No meio da tarde nos puseram em fila. Três prisioneiros trouxeram uma mesa e instrumentos médicos. Com a manga esquerda da camisa arregaçada, cada um de nós tinha que passar diante da mesa. Os três "veteranos" gravavam, com agulhas, um número no nosso braço esquerdo. Passei a ser A-7713. Dali em diante, não tive outro nome.

Ao entardecer, chamada. Os *kommandos* de trabalhadores estavam de volta. Junto ao portão, a banda tocava marchas militares. Dezenas de milhares de detentos ficavam em fila enquanto os SS efetuavam a contagem.

Após a chamada, os prisioneiros de todos os blocos se dispersaram à procura de amigos, parentes e vizinhos que houvessem chegado no último trem.

Passaram-se os dias. De manhã: café preto. Ao meio-dia: sopa. (No terceiro dia, eu já comia qualquer sopa com apetite.) Às seis da tarde: chamada. Depois, pão com alguma coisa. Às nove: cama.

Já fazia oito dias que estávamos em Auschwitz. Já tinham feito a chamada, só estávamos esperando o toque do sino anunciar o fim do procedimento. De repente, ouvi alguém perguntar, passando entre as fileiras:

– Quem de vocês é Wiesel de Sighet?

Quem procurava por nós era um homenzinho de óculos, rosto enrugado e envelhecido. Meu pai respondeu:

– Wiesel de Sighet sou eu.

O homenzinho o fitou demoradamente, estreitando os olhos.
— Não está me reconhecendo... Não está me reconhecendo... Sou Stein, seu parente. Já esqueceu? Stein! Stein, da Antuérpia. Marido de Reizel. Sua esposa era tia de Reizel... Ela sempre nos escrevia... belas cartas!
Meu pai não o reconheceu. Provavelmente não tivera muito contato com ele, pois vivia envolvido até o pescoço nos assuntos da comunidade e bem menos nos da família. Estava sempre alheio, perdido em seus pensamentos. (Uma vez, uma prima foi nos visitar em Sighet. Estava hospedada lá em casa e comendo à nossa mesa fazia uns quinze dias quando meu pai finalmente reparou na sua presença.) Ele não tinha mesmo como se lembrar de Stein. Mas eu logo o reconheci. Conhecera Reizel, sua esposa, antes de ela partir para a Bélgica.
— Fui deportado em 1942 — contou ele. — Ouvi dizer que tinha chegado um transporte da região de vocês e vim procurá-los. Achei que talvez tivessem notícias de Reizel e dos meus dois meninos que ficaram na Antuérpia...
Eu não sabia de nada. Minha mãe não recebia carta deles desde 1940. Menti:
— Sim, minha mãe teve notícias. Reizel vai muito bem. Assim como os meninos...
Ele chorava de alegria. Queria ficar mais, saber mais detalhes, impregnar-se de boas notícias, mas estava vindo um SS e ele teve que ir embora, gritando que voltaria no dia seguinte.
O sino anunciou que estávamos liberados. Fomos buscar a refeição da noite: pão com margarina. Eu estava com uma

fome tremenda, devorei minha ração ali mesmo. Meu pai me disse:

– Não se deve comer tudo de uma vez. Amanhã pode fazer falta...

Ao ver que seu conselho chegara tarde demais, ele nem tocou em seu pão.

– Estou sem fome – disse.

Ficamos três semanas em Auschwitz. Não tínhamos nada para fazer. Dormíamos muito. De tarde e de noite. A única preocupação era evitar as partidas, ficar ali o mais tempo possível. Não era difícil: bastava nunca se inscrever como operário qualificado. Os não qualificados eram deixados para o final.

No início da terceira semana, destituíram o chefe do nosso bloco, julgado humano demais. Nosso novo chefe era feroz, e seus ajudantes, verdadeiros monstros. Os bons tempos tinham acabado. Começamos a nos perguntar se não valeria a pena deixar que nos indicassem para a partida seguinte.

Stein, nosso parente da Antuérpia, continuava a nos visitar. Vez ou outra, trazia meia ração de pão:

– Tome, Eliezer, é para você.

Sempre que vinha nos ver, lágrimas corriam por suas faces, cristalizavam, congelavam. Então ele dizia a meu pai:

– Cuide do seu filho. Ele está muito fraco, magro. Se cuidem para evitar a seleção. Comam! Qualquer coisa, a qualquer hora. Devorem tudo o que puderem. Os fracos não duram muito por aqui...

Ele mesmo era tão magro, tão franzino, tão fraco...

– A única coisa que me mantém com vida – dizia – é

saber que Reizel e meus filhos estão vivos. Não fosse por eles, eu não aguentaria.
Certa tarde, apareceu com a fisionomia radiante.
– Acabou de chegar um transporte da Antuérpia. Amanhã vou lá falar com eles. Certamente terão notícias...
E se foi.
Nunca mais o vimos. Teve notícias. Notícias *verdadeiras*.

À noite, deitados em nossos catres, tentávamos cantar melodias chassídicas, e Akiba Drumer nos cortava o coração com sua voz grave e profunda.
Alguns falavam em Deus, nos Seus misteriosos caminhos, nos pecados do povo judeu e na libertação por vir. Quanto a mim, tinha deixado de rezar. Como entendia Jó! Não renegava Sua existência, mas duvidava de Sua justiça absoluta.
Akiba Drumer dizia:
– Deus está nos pondo à prova. Quer ver se somos capazes de dominar os maus instintos, de matar o Satã dentro de nós. Não temos o direito de nos desesperar. Quanto mais impiedosamente nos castiga, maior é o sinal de que nos ama...
Já Hersch Genud, versado na Cabala, falava no fim do mundo e na vinda do Messias.
Só vez ou outra, em meio a essas conversas, vinha um pensamento zumbir em minha mente: "Onde estará mamãe a essa hora... e Tzipora...?"
– Sua mãe ainda é jovem – disse meu pai certa vez. – Deve estar num campo de trabalho. E Tzipora já não é uma menina crescida? Ela também deve estar num campo...

Como queríamos acreditar nisso! Fazíamos de conta: vai que o outro acreditava?

Todos os operários qualificados já tinham sido enviados para outros campos. Já não éramos mais que uma centena sem qualificação.

– Hoje é a vez de vocês – anunciou o chefe do bloco. – Vão partir com os transportes.

Às dez horas, deram-nos a ração diária de pão. Uns dez SS nos cercaram. No portão, o letreiro: O TRABALHO LIBERTA! Fizeram a contagem. E pronto, estávamos em campo aberto, na estrada ensolarada. No céu, umas nuvenzinhas brancas.

Andávamos devagar. Os guardas não tinham pressa, para alegria nossa. Ao passarmos pelos vilarejos, muitos alemães nos fitavam sem surpresa. Já deviam ter visto um bocado de cortejos como aquele...

Cruzamos no caminho com jovens alemãs. Os guardas começaram a mexer com elas. As moças riam, felizes. Deixavam-se beijar, acariciar, e davam risada. Todos riam, brincavam, lançaram-se palavras de amor por um bom trecho do caminho. Enquanto isso, pelo menos não tínhamos que aguentar gritos e coronhadas.

Ao fim de quatro horas chegamos ao novo campo: Buna. O portão de ferro se fechou atrás de nós.

Capítulo IV

O campo parecia ter sofrido uma epidemia: vazio e morto. Somente uns poucos detentos "bem vestidos" perambulavam entre os blocos. Como sempre, primeiro tivemos que passar pelos chuveiros. O responsável pelo campo foi falar conosco. Era um homem forte, musculoso, de ombros largos; tinha pescoço de touro, lábios grossos, cabelos crespos. Dava a impressão de ser uma pessoa boa. De vez em quando reluzia um sorriso em seus olhos azul-acinzentados. Em nosso grupo havia alguns meninos de 10, 12 anos. O oficial se interessou por eles e ordenou que fossem buscar algo para ele comer.

Depois que nos deram outras roupas, fomos acomodados em duas barracas. Tínhamos que esperar nos incorporarem aos *kommandos* de trabalho, para depois sermos transferidos para um bloco.

Ao entardecer, os *kommandos* retornaram das frentes de trabalho. Chamada. Começamos a procurar por conhecidos, interrogar os veteranos para saber qual era o melhor *kommando*, em que bloco deveríamos tentar entrar. Todos os detentos eram unânimes em dizer:

– Buna é um campo muito bom. Dá para aguentar. O importante é não ser designado para o *kommando* da construção...

Como se tivéssemos escolha.

O chefe da nossa barraca era um alemão. Rosto de assassino, lábios carnudos, mãos iguais a patas de lobo. A comida do campo o satisfazia bastante: mal conseguia se mexer. Tal como o chefe do campo, gostava de crianças. Logo após nossa chegada, mandou que trouxessem para elas pão, sopa e margarina. (Esse afeto, na verdade, não era desinteressado: vim a saber mais tarde que os meninos eram, entre homossexuais, objeto de um autêntico tráfico.) Ele nos anunciou:

– Vão ficar três dias na minha barraca, de quarentena. Depois vão trabalhar. Amanhã, exame médico.

Um dos seus ajudantes (um garoto com olhar de delinquente e semblante duro) se aproximou de mim, dizendo:

– Você quer entrar para um bom *kommando*?

– Sim, claro. Mas com uma condição: quero ficar com meu pai...

– Certo. Posso ajeitar isso. Por uma ninharia: seus sapatos. Te dou outros.

Recusei. Meus sapatos eram tudo que me restava.

– E ainda te dou uma ração de pão com um pouco de margarina...

Ele tinha mesmo gostado dos sapatos; mas não cedi.

(De qualquer modo, me foram tirados mais tarde. E em troca de nada.)

Exame médico ao ar livre, nas primeiras horas da manhã, perante três médicos sentados num banco.

O primeiro nem me auscultou. Limitou-se a perguntar:
– Você está bem?
Quem se atreveria a dizer que não?

O dentista, em compensação, parecia mais consciencioso: mandava abrir bem a boca. Não queria ver os dentes estragados, mas os dentes de ouro. Quem tinha ouro na boca via seu número ser inscrito numa lista. Eu tinha uma coroa.

Os três primeiros dias se passaram rapidamente. No quarto dia, ao amanhecer, estávamos na frente da barraca quando apareceram uns *kapos*. Puseram-se, cada um, a escolher os homens que lhes interessavam.

– Você... você... e você. – E apontavam com o dedo como quem escolhe um animal, uma mercadoria.

Seguimos nosso *kapo*, um jovem. Ele nos fez parar na entrada do primeiro bloco, próximo ao portão do campo. Era o bloco da banda. "Entrem", ordenou. Ficamos surpresos: o que tínhamos a ver com música?

A banda tocava uma marcha militar, sempre a mesma. Dezenas de *kommandos* saíam, marchando, para as frentes de trabalho. Os *kapos* escandiam: "Esquerda, direita, esquerda, direita."

Oficiais da SS, caneta e papel na mão, anotavam a quantidade de homens que saíam. A banda continuou tocando

a mesma marcha até passar o último *kommando*. Então a batuta do maestro ficou imóvel. A banda parou na mesma hora, e o *kapo* gritou:
– Em fila!
Formamos filas de cinco, junto com os músicos. Saímos do campo, sem música mas marchando: os ecos do ritmo ainda nos soavam nos ouvidos.
– Esquerda, direita, esquerda, direita!
Puxamos conversa com nossos vizinhos de fila, os músicos. Eram quase todos judeus. Juliek, polonês, óculos e sorriso cínico no rosto pálido. Louis, originário da Holanda, notável violinista. Queixava-se de que não o deixavam interpretar Beethoven: os judeus estavam proibidos de tocar música alemã. Hans, jovem berlinense muito espirituoso. O contramestre era um polonês: Franek, ex-estudante em Varsóvia. Juliek me explicou:
– Trabalhamos num depósito de material elétrico, não longe daqui. O trabalho não é difícil nem perigoso, mas Idek, o *kapo*, tem uns acessos de loucura de vez em quando, e é melhor não estar no caminho dele nessas horas.
– Você tem sorte, garoto – disse Hans, sorrindo. – Veio parar num bom *kommando*...
Dez minutos depois, chegamos ao depósito. Um funcionário alemão, um civil, o *meister*, veio ao nosso encontro. Não nos deu mais atenção que daria um comerciante a uma entrega de trapos velhos.
Nossos colegas tinham razão: o trabalho não era difícil. Sentados no chão, tínhamos que contar porcas e parafusos, lâmpadas e pequenas peças elétricas. O *kapo* nos explicou exaustivamente a imensa importância daquele trabalho,

avisando que quem se mostrasse ocioso ia se ver com ele.
Meus novos colegas me tranquilizaram:
— Não se preocupe. Ele é obrigado a dizer isso por causa do *meister*.

Havia ali diversos poloneses civis e também algumas francesas. Elas cumprimentaram os músicos com o olhar. Franek, o contramestre, me pôs em um canto:
— Não se extenue, não se apresse. Só cuide para não ser flagrado por um SS.
— Contramestre... eu queria ficar perto do meu pai.
— Certo. Seu pai vai trabalhar aqui, do seu lado.

Estávamos com sorte.

Dois garotos foram agregados ao nosso grupo: Yossi e Tibi, dois irmãos, tchecos, cujos pais tinham sido exterminados em Birkenau. Viviam um para o outro de corpo e alma.

Logo ficamos amigos. Eles tinham um dia pertencido a uma organização de juventude sionista e conheciam uma boa quantidade de cânticos hebraicos. Assim, acontecia de cantarolarmos músicas que evocavam as águas tranquilas do Jordão e a majestosa santidade de Jerusalém. Também falávamos muito sobre a Palestina. Os pais deles também não tiveram coragem de largar tudo e emigrar quando ainda era tempo. Decidimos que, se nos fosse dada a chance de viver até a Libertação, não ficaríamos na Europa nem mais um dia. Tomaríamos o primeiro navio para Haifa.

Ainda perdido em seus sonhos cabalísticos, Akiba Drumer descobrira um versículo da Bíblia que, traduzido em números, permitia prever a Liberdade para dali a algumas semanas.

Tínhamos sido transferidos da barraca para o bloco dos músicos. Tivemos direito a um cobertor, uma bacia e um pedaço de sabão. O chefe do bloco era um judeu alemão.

Era bom ter um judeu como chefe. Seu nome era Alphonse. Um homem jovem, de rosto espantosamente envelhecido. Era inteiramente dedicado à causa do "seu" bloco. Sempre que podia providenciava uma "caldeira" de sopa para os jovens, para os fracos, para todos que sonhavam mais com um prato extra que com a liberdade.

Certo dia, estávamos voltando do depósito quando o chefe do bloco mandou me chamar:

– A-7713?

– Sou eu.

– Depois de comer, vá ver o dentista.

– Mas... não estou com dor de dente...

– Depois de comer. Sem falta.

Fui até o bloco dos doentes. Uns vinte prisioneiros esperavam em fila na frente da porta. Não demorou para descobrirmos o objeto da nossa convocação: a extração dos dentes de ouro.

Judeu originário da Tchecoslováquia, o dentista tinha um rosto que parecia uma máscara mortuária. Quando abria a boca, era uma visão medonha de dentes amarelos e podres. Sentado na poltrona, perguntei humildemente:

– O que vai fazer, senhor?

– Tirar sua coroa de ouro, só isso – respondeu o dentista, indiferente.

Tive a ideia de fingir mal-estar.

– Não daria para esperar alguns dias, doutor? Não me sinto bem, estou com febre...

Ele franziu a testa, refletiu um instante, depois mediu meu pulso.

– Está bem, garoto. Volte quando se sentir melhor. Mas não espere até eu lhe chamar!

Voltei uma semana depois. Com a mesma desculpa: ainda não me sentia restabelecido. Ele não manifestou nenhuma surpresa, não sei se acreditou. Devia estar satisfeito por eu ter voltado espontaneamente, como prometido. E me liberou mais uma vez.

Poucos dias depois, foi fechado o consultório do dentista, que tinha sido preso. Seria enforcado. Descobrira-se que traficava para proveito próprio os dentes de ouro dos detentos. Não tive pena nenhuma. Fiquei, inclusive, bem feliz com o que ele estava passando: com isso salvava minha coroa. Poderia me servir, um dia, para comprar algo, um pouco de pão, de vida. A única coisa que ainda me interessava era meu prato de sopa diário, meu naco de pão duro. O pão, a sopa – eram toda a minha vida. Eu era um corpo. Talvez menos que isso: era um estômago faminto. Só o estômago sentia o tempo passar.

No depósito, trabalhava com frequência ao lado de uma jovem francesa. Não nos falávamos: ela não sabia alemão e eu não entendia francês.

Ela me parecia ser judia, embora ali passasse por "ariana". Era uma deportada do trabalho obrigatório.

Um dia em que Idek se deixou dominar pela fúria, calhou

de eu estar no seu caminho. Ele veio para cima de mim feito um animal feroz, me batendo no peito, na cabeça, me empurrando, me puxando de volta, desferindo pancadas cada vez mais violentas, até arrancar sangue. Como eu mordia o lábio para não gritar de dor, ele devia entender meu silêncio como desprezo, e aí mesmo é que batia, mais e mais forte.
De repente se acalmou. Como se nada tivesse acontecido, me mandou voltar ao trabalho. Como se tivéssemos participado de um jogo em que os papéis de cada um tivessem importância igual.
Fui me arrastando até meu canto. Meu corpo inteiro doía. Senti a mão fresca de alguém enxugando minha testa ensanguentada. Era a operária francesa. Sorria para mim com seu sorriso tristonho e, disfarçadamente, pôs um pedaço de pão na minha mão. Ela olhava nos meus olhos. Senti que queria falar, mas que o medo a engasgava. Assim ficou longos instantes, até que seu rosto se iluminou e ela me disse, num alemão quase correto:

– Aguente firme, irmãozinho... Não chore. Guarde sua raiva e seu ódio para outra hora, para mais tarde. Um dia, não agora... Espere. Cerre os dentes e espere...

Muitos anos depois, em Paris, eu estava no metrô lendo o jornal quando vi uma senhora muito bonita sentada na minha frente, cabelos pretos, olhos pensativos. Aqueles olhos me eram familiares. Era ela.

– Não está me reconhecendo, senhora?
– Não, senhor.
– Em 1944, a senhora estava na Alemanha, em Buna, não estava?
– Sim...

– Trabalhava no depósito de material elétrico...
– Sim – confirmou ela, um tanto abalada. E, após um instante de silêncio: – Espere... estou lembrando...
– Idek, o *kapo*... o menino judeu... suas doces palavras... Descemos juntos do metrô e fomos nos sentar na área externa de um café. Ficamos até tarde relembrando nossas memórias. Antes de me despedir, indaguei:
– Posso lhe fazer uma pergunta?
– Já sei o que é.
– O quê?
– Se eu sou judia? Sim, sou. De família praticante. Durante a ocupação, consegui uns documentos falsos e me fazia passar por "ariana". Foi assim que me recrutaram para os grupos de trabalho obrigatório e, deportada para a Alemanha, escapei do campo de concentração. Ninguém no depósito sabia que eu falava alemão: isso teria despertado suspeitas. Aquelas poucas palavras que eu lhe disse foram uma imprudência, mas eu sabia que você não me denunciaria...

Em outra ocasião, tivemos que carregar motores Diesel em uns vagões, sob a vigilância de soldados alemães. Idek estava uma pilha de nervos. Só a custo se continha. De repente, explodiu. A vítima foi meu pai.

– Velho preguiçoso! – começou a gritar. – Você chama isso de trabalhar?

E começou a espancá-lo com uma barra de ferro. Meu pai primeiro se vergou sob os golpes, depois se partiu ao meio feito árvore seca atingida por um raio, e desabou.

Eu assisti à cena toda sem me mexer. Calado. Na verdade, pensava em me afastar para não apanhar também. Pior: se naquele momento eu estava furioso com alguém, não era com o *kapo*, era com meu pai. Com raiva por ele não ter sabido evitar o surto de Idek. Era nisso que a vida no campo tinha me transformado...

Franek, o contramestre, um dia reparou que eu tinha ouro na boca.

– Me dê sua coroa, garoto.

Respondi que era impossível, que sem ela eu não conseguiria comer.

– Ora essa, com o que te dão para comer!

Achei outra resposta: tinham anotado minha coroa na lista durante a consulta médica, e isso poderia causar problemas para nós dois.

– Mas pode te custar muito mais caro se não me der!

De repente, aquele rapaz simpático e inteligente não era mais o mesmo. A cobiça cintilava em seus olhos. Falei que precisava consultar meu pai.

– Pois faça isso, garoto. Mas quero a resposta amanhã.

Quando falei com meu pai, ele empalideceu, ficou um longo momento calado, e por fim disse:

– Não, filho, não podemos fazer isso.

– Ele vai se vingar de nós!

– Ele não vai se atrever, filho.

Mas ele sabia por onde me pegar, conhecia meu ponto fraco. Meu pai não tinha feito serviço militar e não conseguia marchar. Ocorre que todos os deslocamentos em grupo tinham que ser feitos a passo cadenciado. Para Franek, era uma oportunidade de torturá-lo e todo dia, implacavelmente, moê-lo de pancadas. Esquerda, direita: murros! Esquerda, direita: bofetadas!

Resolvi eu mesmo treinar meu pai, ensinar-lhe a acertar

o passo, a sustentar o ritmo. Passamos a fazer exercícios na frente do bloco. Eu comandava: "Esquerda, direita!", e ele praticava. Alguns detentos começaram a zombar:

— Vejam só, o pequeno oficial ensinando o velho a marchar... Ei, generalzinho, quantas rações de pão o velho te dá em troca?

Mas os progressos de meu pai eram insuficientes, e as surras continuaram a chover sobre ele.

— Ainda não aprendeu a marchar, velho preguiçoso?

Essas cenas se repetiram durante duas semanas. Não aguentávamos mais. Tivemos que nos render. Franek, nesse dia, caiu numa gargalhada feroz:

— Eu sabia, garoto, sabia que ia acabar te dobrando. Antes tarde do que nunca. E já que me fez esperar, vai te custar, além disso, uma ração de pão. Uma ração de pão para um dos meus amigos, um famoso dentista de Varsóvia. Para ele tirar a sua coroa.

— O quê? Minha ração de pão para você ficar com a *minha* coroa?

Franek sorria.

— O que você queria? Que eu quebrasse seus dentes com um murro?

Na mesma noite, nos sanitários, o dentista varsoviano arrancou minha coroa com uma colher enferrujada.

Franek voltou a ser mais gentil. Até me dava, vez ou outra, um suplemento de sopa. Mas isso não durou muito. Quinze dias depois, todos os poloneses foram transferidos para outro campo. Eu tinha perdido minha coroa à toa.

Alguns dias antes da partida dos poloneses, houve outro incidente.

Era um domingo de manhã. Nosso *kommando* não precisava ir trabalhar nesse dia. Idek, porém, não quis saber de ficar no campo. Tínhamos que ir para o depósito. Esse súbito entusiasmo pelo trabalho nos deixou perplexos. No depósito, Idek nos deixou com Franek, dizendo:

– Façam o que quiserem, mas façam alguma coisa. Senão vão se ver comigo...

E sumiu.

Não sabíamos o que fazer. Cansados de ficar acocorados, saímos, um por um, a perambular pelo depósito, à cata de um pedaço de pão esquecido ali por um civil.

Chegando aos fundos do prédio, ouvi um ruído vindo de uma saleta vizinha. Fui até lá e vi, num colchão de palha, Idek e uma jovem polonesa, semidespidos. Então entendi por que não nos deixara ficar no campo. Deslocara cem prisioneiros para se deitar com uma mulher! Achei aquilo tão cômico que caí na risada.

Levando um susto, Idek se virou e me viu, enquanto a moça tratava de cobrir o peito. Eu quis fugir, mas minhas pernas estavam pregadas no chão. Idek me agarrou pelo pescoço. E disse com uma voz surda:

– Espere só para ver, moleque... Vai ver o quanto custa abandonar o trabalho... Daqui a pouco você me paga... Agora volte para o seu lugar...

Meia hora antes do término habitual do trabalho, o *kapo* reuniu todo o *kommando*. Chamada. Ninguém estava entendendo. Chamada àquela hora? Ali? Só eu sabia. Ele fez um breve discurso:

– Um simples detento não tem o direito de se meter na vida dos outros. Um de vocês parece não ter entendido isso. Então vou fazer com que ele entenda, claramente, de uma vez por todas.

Eu sentia o suor escorrendo pelas costas.

– A-7713!

Dei um passo à frente.

– Um caixote! – pediu ele.

Trouxeram-lhe um caixote.

– Deite em cima! De bruços!

Obedeci.

Depois disso, só senti as chicotadas.

– Uma!... Duas!... – ele contava.

E se demorava entre uma e outra. Só as primeiras realmente me doeram. Eu o ouvia contar:

– Dez... Onze!...

Sua voz estava calma e me chegava como que através de uma parede espessa.

– Vinte e três...

Mais duas, pensei, já semi-inconsciente. O *kapo* esperava.

– Vinte e quatro... Vinte e cinco!

Tinha acabado. Mas eu não percebi, estava desmaiado. Voltei a mim por efeito de um balde de água fria. Ainda estava deitado sobre o caixote. Só enxergava, vagamente, a terra molhada ao meu redor. Então ouvi alguém gritar algo. Devia ser o *kapo*. Comecei a discernir o que ele gritava:

– De pé!
Devo ter feito tentativas para me levantar, pois me sentia caindo de volta no caixote. Como queria me levantar!
– De pé! – gritava ele, ainda mais alto.
Se ao menos eu pudesse responder, pensava, se pudesse dizer que não conseguia me mexer. Mas não conseguia emitir som.
Por ordem de Idek, dois detentos me levantaram e me colocaram diante dele.
– Olhe nos meus olhos!
Olhei sem enxergá-lo. Pensava no meu pai. Devia estar sofrendo mais que eu.
– Preste atenção, seu porco imundo! – disse-me Idek friamente. – Isso foi pela sua curiosidade. Vai levar cinco vezes mais se ousar contar para alguém o que viu! Entendeu?
Assenti uma vez, dez vezes, vezes sem fim. Como se minha cabeça tivesse resolvido dizer "sim" sem jamais parar.

Um domingo, enquanto metade de nós (entre eles meu pai) estava trabalhando, os demais (entre eles eu) aproveitávamos para dormir até mais tarde.
Por volta das dez horas, as sirenes de alarme se puseram a uivar. Alerta. Os chefes dos blocos, correndo, nos reuniram dentro dos blocos, enquanto os SS se refugiavam nos abrigos. Como era relativamente fácil fugir durante o alerta – os guardas abandonavam as torres e cortava-se a corrente elétrica dos arames farpados –, os SS tinham ordem para abater qualquer um que estivesse fora dos blocos.

Em questão de instantes o campo ficou parecendo um navio abandonado. Não havia alma viva nas ruas. Perto da cozinha, dois caldeirões de sopa fumegante ficaram abandonados, ainda pela metade. Dois caldeirões de sopa! Dois caldeirões de sopa no meio da rua sem ninguém para vigiá--los! Régio banquete desperdiçado, suprema tentação! Centenas de olhos os contemplavam, reluzindo de desejo. Dois cordeiros espreitados por centenas de lobos. Dois cordeiros sem pastor, de presente. Mas quem ousaria?

O terror era mais forte que a fome. De súbito, vimos se abrir, imperceptivelmente, a porta do bloco 37. Um homem saiu rastejando como um verme em direção aos caldeirões. Centenas de olhos acompanhavam seus movimentos. Centenas de homens rastejavam com ele, se esfolavam com ele no cascalho. Todos os corações tremiam, mas era sobretudo de inveja. Ele tinha ousado.

Tocou o primeiro caldeirão, os corações bateram mais forte: tinha conseguido. A inveja nos devorava, nos consumia feito palha. Nem por um momento pensamos em admirá-lo. Pobre herói rumando para o suicídio por uma ração de sopa – nós o assassinávamos em pensamento.

Deitado junto ao caldeirão, ele, enquanto isso, tentava se erguer até a borda. Quer por fraqueza, quer por medo, ficou ali parado, decerto reunindo suas últimas forças. Conseguiu se içar, afinal. Por um instante pareceu se olhar dentro da sopa, procurar seu reflexo de fantasma. E logo, sem razão aparente, soltou um uivo terrível, um estertor como eu nunca tinha ouvido, e, boca aberta, enfiou a cabeça no líquido quentíssimo. A detonação nos fez sobressaltar. Caído de volta ao chão, rosto manchado de sopa, o homem se contorceu por alguns segundos ao pé do caldeirão e não mais se mexeu.

Foi então que ouvimos os aviões. Quase em seguida, os barracões começaram a tremer.

– Estão bombardeando Buna! – gritou alguém.

Pensei no meu pai. Mesmo assim, fiquei feliz. Ver a usina se consumir no incêndio, que vingança! Até tínhamos ouvido falar nas derrotas das tropas alemãs em diversos fronts, mas não sabíamos ao certo se dava para acreditar. Isso, agora, era concreto!

Nenhum de nós tinha medo. Uma bomba caindo sobre os blocos, no entanto, teria feito centenas de vítimas. Mas não temíamos mais a morte, pelo menos não aquela morte. Cada bomba que explodia nos enchia de júbilo, nos devolvia confiança na vida.

O bombardeio durou mais de uma hora. Quem dera durasse dez vezes dez horas... Depois, o silêncio se restabeleceu. O último barulho de avião americano sumiu com o vento, estávamos de volta ao nosso cemitério. No horizonte se estendia um longo rastro de fumaça preta. As sirenes uivaram novamente. Fim do alerta.

Saíram todos dos blocos. Respirávamos a plenos pulmões o ar repleto de fogo e fumaça, os olhos brilhavam de esperança. Caíra uma bomba no meio do campo, perto da praça de chamada, mas não chegara a explodir. Tivemos que carregá-la para fora.

O chefe do campo, acompanhado de seu adjunto e do chefe dos *kapos*, deu uma volta de inspeção pelas ruas. O ataque deixara em seu rosto as marcas de um grande susto.

Bem no meio do campo, única vítima, jazia o corpo do

homem com o rosto sujo de sopa. Os caldeirões foram devolvidos à cozinha.

Os SS retornaram aos seus postos nas torres, com suas metralhadoras. Terminara o intervalo.

Ao fim de uma hora, vimos voltarem os *kommandos*, marchando como de costume. Com alegria, avistei meu pai.

– Vários prédios foram arrasados – ele me contou –, mas o depósito não foi atingido...

À tarde fomos animadamente limpar as ruínas.

Uma semana depois, voltando do trabalho, vimos no meio do campo, na praça da chamada, um patíbulo preto.

Fomos informados de que a sopa seria distribuída somente após a chamada – que se estendeu por mais tempo que o normal. As ordens eram dadas de forma mais seca que nos outros dias e havia estranhas ressonâncias no ar.

– Descubram a cabeça! – gritou o chefe do campo, de repente.

Dez mil bonés foram tirados ao mesmo tempo.

– Cubram a cabeça!

Dez mil bonés foram recolocados com a rapidez de um raio.

Abriu-se o portão do campo. Uma divisão da SS apareceu e nos cercou: um guarda a cada três passos. Metralhadoras, desde as torres, apontavam para a praça da chamada.

– Estão temendo algum tumulto – murmurou Juliek.

Dois SS se dirigiram à prisão. Voltaram trazendo o condenado. Era um jovem de Varsóvia. Tinha três anos de campo de concentração nas costas. Era um rapaz forte e bem constituído, um gigante se comparado comigo.

Costas para o patíbulo, rosto voltado para seu juiz, o chefe do campo, estava pálido, mas aparentava mais emoção do que medo. As mãos, acorrentadas, não tremiam. Os olhos contemplavam friamente as centenas de guardas SS, os milhares de prisioneiros à sua volta.

O chefe do campo se pôs a ler o veredicto, parecendo saborear cada frase:

– Em nome do *Reichsführer* Himmler... o detento nº... furtou durante o alerta... De acordo com a lei... parágrafo... o detento nº... é condenado à pena de morte. Que isto sirva de aviso e exemplo para todos os detentos.

Ninguém se mexeu.

Eu ouvia meu coração bater. As milhares de pessoas que morriam todos os dias em Auschwitz e Birkenau, nos fornos crematórios, tinham deixado de me abalar. Mas aquele, recostado em seu patíbulo de morte, aquele me transtornava.

– Será que ainda demora muito, essa cerimônia? – cochichou Juliek. – Estou com fome...

A um sinal do chefe do campo, o *Lagerkapo* se aproximou do condenado. Dois prisioneiros o auxiliavam em sua tarefa. Em troca de dois pratos de sopa.

O *kapo* quis vendar os olhos do condenado, mas o homem recusou.

Após um longo momento de espera, o carrasco pôs a corda no pescoço do homem. Ia fazer sinal para seus ajudantes puxarem a cadeira de sob os pés do condenado quando o homem clamou, com uma voz forte e calma:

— Viva a liberdade! Maldita seja a Alemanha! Maldita seja! Maldi...

Os carrascos concluíram seu trabalho. Cortante como uma espada, uma ordem rasgou o ar:

— Descubram a cabeça!

Dez mil detentos prestaram as honras.

— Cubram a cabeça!

Então o campo inteiro, bloco por bloco, teve que desfilar diante do enforcado e fitar os olhos extintos do morto, a língua pendurada. Os *kapos* e os chefes de blocos obrigavam cada um a olhar aquele rosto bem de frente.

Após o desfile, fomos autorizados a retornar aos blocos para jantar.

Lembro que naquela noite achei a sopa excelente...

Vi outros enforcamentos. Nunca vi nenhum dos condenados chorar. Havia muito que aqueles corpos ressequidos tinham esquecido o sabor amargo das lágrimas.

Exceto uma vez. O *Oberkapo* do 52º *kommando* dos cabos era um holandês: um gigante de mais de 2 metros. Setecentos detentos trabalhavam sob suas ordens e todos gostavam dele como de um irmão. Nunca ninguém levou uma bofetada de sua mão ou ouviu um insulto de sua boca.

Ele tinha a seu serviço um menino, um *pipel*, como eram chamados. Menino de uns 12 anos, rosto bonito e delicado, algo inacreditável naquele campo.

(Em Buna, odiavam-se os *pipel*: não raro se mostravam mais cruéis que os adultos. Um dia vi um deles, um garoto de 13 anos, batendo no próprio pai por não ter arrumado a cama direito. E como o velho chorava baixinho, o *pipel* berrava: "Se não parar agora mesmo não te trago mais pão. Entendeu?" Mas o pequeno criado do holandês era adorado por todos. Tinha um rosto de anjo infeliz.) Certo dia, a central elétrica de Buna explodiu. A Gestapo, chamada ao local, concluiu que fora sabotagem. Encontraram uma pista. Chegou-se ao bloco do *Oberkapo* holandês. E lá, efetuada uma revista, acharam uma considerável quantidade de armas!

O *Oberkapo* foi detido no ato. Foi torturado por semanas a fio, em vão. Não entregou nenhum nome. Foi transferido para Auschwitz. Nunca mais se soube dele.

Mas seu jovem *pipel* permaneceu no campo, na cadeia. Também submetido a tortura, ficou igualmente calado. Os SS então o condenaram à morte, bem como os outros dois detentos com quem haviam sido encontradas armas.

Um dia, ao voltar de nossas tarefas, vimos três patíbulos erguidos na praça da chamada, três urubus negros. Chamada. SS nos cercando, metralhadoras apontadas: a tradicional cerimônia. Três condenados acorrentados – e entre eles o pequeno *pipel*, o anjo de olhos tristes.

Os SS pareciam mais preocupados, mais inquietos que de costume. Enforcar uma criança para milhares de espectadores não era coisa pouca. O chefe do campo leu o veredicto. Todos os olhos estavam fixos no menino. Ele estava lívido, quase calmo, mordendo o lábio. A sombra do patíbulo se estendia sobre ele.

O *Lagerkapo*, dessa vez, negou-se a servir de carrasco. Três SS o substituíram.

Os três condenados subiram nas cadeiras ao mesmo tempo. Os três pescoços, ao mesmo tempo, foram introduzidos nos nós corrediços.

– Viva a liberdade! – gritaram os dois adultos.

O pequeno se manteve calado.

– Onde está Deus, onde está? – perguntou alguém atrás de mim.

A um sinal do chefe do campo, as três cadeiras tombaram. Silêncio absoluto em todo o campo. No horizonte, o sol se punha.

– Descubram a cabeça! – bradou o chefe do campo, a voz rouca.

Nós chorávamos.

– Cubram a cabeça!

Então começou o desfile. Os dois adultos já não viviam. As línguas pendiam, inchadas, azuladas. Mas a terceira corda não estava imóvel: o menino, tão leve, ainda vivia.

Mais de meia hora ele ficou assim, lutando entre a vida e a morte, agonizando diante dos nossos olhos. E tínhamos que olhá-lo bem de frente. Ainda estava vivo quando passei diante dele. A língua ainda estava vermelha, os olhos, ainda não apagados.

Atrás de mim, ouvi o mesmo homem perguntar:

– Onde está Deus, afinal?

E senti dentro de mim uma voz que respondia:

– Onde ele está? Bem ali: pendurado nessa forca...

A sopa, naquela noite, tinha gosto de cadáver.

Capítulo V

O verão chegava ao fim. Estava terminando o ano judeu. Na véspera do Rosh Hashaná, último dia daquele ano maldito, a tensão reinante nos corações eletrizava o campo inteiro. Apesar dos pesares, aquele era um dia diferente dos outros. O último do ano. A palavra "último" ressoava de forma muito estranha. E se fosse realmente o último dia?

Distribuíram a refeição da noite, uma sopa bem grossa, mas ninguém tocou na comida. Queríamos esperar até depois da oração. Na praça da chamada, cercados de arames farpados eletrificados, milhares de judeus silenciosos se reuniram, o semblante descomposto.

Escurecia. De todos os blocos seguiam afluindo prisioneiros, subitamente capazes de vencer o tempo e o espaço, de submetê-los à sua vontade. "O que és Tu, meu Deus" – pensava eu, cheio de ira –, "se comparado a essa multidão sofrida que vem Te gritar sua fé, sua ira, sua revolta? O que significa a Tua grandeza, Senhor do Universo, diante de toda essa fraqueza, diante dessa decomposição, dessa podridão? Por que perturbar mais ainda suas mentes adoecidas, seus corpos enfermos?"

Dez mil homens foram assistir ao culto solene, chefes de bloco, *kapos*, funcionários da morte.

– Bendigam ao Eterno...

Fez-se ouvir a voz do oficiante. Num primeiro momento, pensei que fosse o vento.

– Bendito seja o nome do Eterno!

Milhares de bocas repetiam a bênção, prosternavam-se qual árvores na tempestade.

Bendito seja o nome do Eterno!

Mas por quê, por que eu haveria de bendizê-Lo? Todas as fibras do meu ser se revoltavam. Porque tinha feito queimar nas valas milhares de crianças? Porque fazia funcionar seis crematórios dia e noite nos dias de Sabá e nos dias de festa? Porque, em Seu grande poder, criara Auschwitz, Birkenau, Buna e tantas outras usinas da morte? Como poderia eu Lhe dizer: "Bendito sejas Tu, ó Eterno, Senhor do Universo, que nos elegeu entre os povos para sermos torturados dia e noite, para vermos nosso pai, nossa mãe, nossos irmãos terminarem no crematório? Louvado seja o Teu Santo Nome, Tu que nos escolheste para sermos imolados em Teu altar"?

A voz do oficiante se elevou, potente e alquebrada, em meio às lágrimas, soluços, suspiros de todos os presentes:

– Toda a terra e o universo a Deus pertencem!

Ele se detinha a todo instante, como que sem forças para encontrar, sob as palavras, seu conteúdo. A melodia se engasgava na garganta.

E eu, o místico de outrora, pensava: "Sim, o homem é mais forte, maior que Deus. Quando Te decepcionaste com Adão e Eva, expulsaste-os do paraíso. Quando a geração de Noé Te desagradou, mandaste vir o Dilúvio. Quando Sodoma deixou de achar graça aos Teus olhos, mandaste chover fogo e enxofre do céu. E o que fazem esses homens que traíste, que deixaste serem torturados, imolados, gaseados, calcinados? Oram diante de Ti! Louvam Teu nome!"

– Toda a criação testemunha a Grandeza de Deus!

Outrora, o dia de ano-novo era fundamental em minha vida. Eu sabia que meus pecados entristeciam o Eterno, implorava por Seu perdão. Outrora, eu acreditava piamente que de um só gesto meu, de uma só oração minha, dependia a salvação do mundo.

Hoje, eu não implorava mais. Não era mais capaz de gemer. Pelo contrário, me sentia muito forte... Eu era o acusador. E o acusado: Deus. Meus olhos tinham se aberto e eu estava só, terrivelmente só no mundo, sem Deus, sem homem. Sem amor nem piedade. Eu já não passava de cinzas, mas me sentia mais forte que esse Todo-Poderoso a quem por tanto tempo devotara minha vida. No meio daquela assembleia de oração, eu era como um observador estrangeiro.

O culto se encerrou com o Kadish. Cada um recitou o Kadish por seus pais, seus filhos, seus irmãos e por si mesmo.

Ainda nos demoramos por um tempo ali, na praça da chamada. Ninguém ousava desfazer aquela miragem. Então veio a hora de dormir, e os detentos retornaram a passos lentos para seus blocos. Ouvi que desejavam uns aos outros um bom ano-novo!

Saí correndo em busca do meu pai. Com medo de ter que lhe desejar um novo ano feliz no qual já não acreditava. Ele estava de pé perto do bloco, recostado na parede, encurvado, ombros caídos como sob uma carga pesada. Fui até ele, peguei sua mão e a beijei. Uma lágrima caiu sobre sua pele. Quem a derramara, aquela lágrima? Eu? Ele? Não falei nada. Nem meu pai. Nunca tínhamos entendido tão claramente um ao outro. O som do sino nos trouxe de volta à realidade. Hora de ir deitar. Retornamos de muito longe. Ergui os olhos para ver o rosto de meu pai, inclinado para mim, tentando vislumbrar um sorriso, ou algo assim, em sua face esquálida e envelhecida. Mas nada. Nem sombra de uma expressão. Derrotado.

Yom Kippur. O Dia do Perdão.

Deveríamos jejuar? A questão foi debatida asperamente. Jejuar podia significar uma morte mais certa, mais rápida. Ali se jejuava o ano todo. Era Yom Kippur o ano inteiro. Outros, porém, diziam que era nosso dever jejuar justamente por ser um perigo fazê-lo. Tínhamos que mostrar a Deus que mesmo ali, naquele inferno confinado, éramos capazes de louvá-Lo.

Não jejuei. Primeiro, para agradar ao meu pai, que me proibira de fazê-lo. Depois, porque já não tinha motivo nenhum para jejuar. Já não aceitava o silêncio de Deus. Ao ingerir minha tigela de sopa, via naquele gesto um ato de revolta e protesto contra Ele.

E mordisquei meu pedaço de pão.

Sentia que dentro do meu peito se abrira um imenso vazio.

Os SS nos deram um belo presente de ano-novo. Estávamos voltando das tarefas. Logo ao cruzar o portão do campo, sentimos no ar algo fora do comum. A chamada demorou menos que de costume. A sopa da noite foi distribuída às pressas e logo ingerida, angustiadamente.

Eu já não estava no mesmo bloco que meu pai. Tinham me transferido para outro *kommando*, o da construção, onde passava doze horas por dia carregando pesados blocos de pedra. O chefe do meu novo bloco era um judeu alemão de baixa estatura, olhar agudo. Ele nos anunciou, naquela noite, que ninguém poderia sair do bloco depois da sopa. E uma palavra terrível não demorou a se fazer circular: a seleção.

Sabíamos o que significava. Um SS ia nos examinar. Ao deparar com um fraco, um "muçulmano", como dizíamos, anotaria seu número: só serve para o crematório.

Depois da sopa, nos reunimos entre as camas. Os veteranos diziam:

– Vocês têm sorte de terem sido trazidos tão tarde. Isso hoje é um paraíso, comparado ao que era o campo dois anos atrás. Buna era um verdadeiro inferno naquela época. Não havia água nem cobertores, havia menos sopa e menos pão. Dormíamos quase nus, a menos 30 graus. Recolhiam-se todo dia centenas de cadáveres. O trabalho era pesadíssimo. Hoje, é quase um paraíso. Os *kapos* tinham ordem de matar certo número de prisioneiros por dia. E havia seleção toda semana. Uma seleção impiedosa... É, vocês têm sorte.

– Chega! Calem a boca! – eu implorava. – Amanhã, outro dia, vocês contam essas histórias.

Eles caíam na risada. Não era à toa que eram veteranos.

– Está com medo? A gente também tinha medo. E havia motivo para isso... antigamente.

Os velhos ficaram em seu canto, quietos, imóveis, acuados. Alguns rezavam.

Uma hora. Dali a uma hora teríamos o veredicto: a morte ou o *sursis*.

E meu pai? Só agora me lembrava dele. Como passaria pela seleção? Estava tão envelhecido...

O chefe do nosso bloco não saíra dos campos de concentração desde 1933. Já passara por todos os matadouros, por todas as usinas da morte. Quando eram quase nove horas, postou-se no meio de nós:

– *Achtung!*

Fez-se silêncio imediatamente.

– Prestem atenção no que eu vou dizer. – Pela primeira vez notei sua voz trêmula. – Dentro de instantes vai começar a seleção. Vocês terão que se despir por inteiro. Depois vão passar, um por um, diante dos médicos SS. Espero que todos se saiam bem. Mas vocês mesmos precisam se ajudar. Antes de entrar na sala ao lado, mexam-se um pouco para ficarem mais corados. Não andem muito, corram! Corram como se estivessem fugindo do diabo! Não olhem para os SS. Vão em frente, corram!

Ele fez uma pausa, depois acrescentou:

– E o mais importante: não tenham medo!

Estava aí um conselho que gostaríamos de poder seguir. Eu me despi e deixei a roupa sobre a cama. Naquela noite não havia perigo algum de a roubarem.

Tibi e Yossi, que também tinham mudado de *kommando*, vieram falar comigo:

– Vamos ficar juntos. Assim seremos mais fortes.

Yossi murmurava alguma coisa entre dentes. Devia estar rezando. Eu até então não sabia que Yossi era crente. Sempre achara o contrário, aliás. Quanto a Tibi, estava quieto, muito pálido. Estavam todos os detentos do bloco, nus, entre as camas. Assim é que deve ser no Juízo Final.

– Lá vêm eles!

Três oficiais da SS acompanhavam o famoso Dr. Mengele, que tinha nos recebido em Birkenau. O chefe do bloco perguntou, tentando sorrir:

– Prontos?

Sim, estávamos prontos. Os médicos SS também. O Dr. Mengele segurava uma lista na mão: nossos números. Fez um sinal para o chefe do bloco: "Podemos começar!" Como se desse início a um jogo.

Os primeiros a passar foram as "autoridades" do bloco, *Stubenelteste*, *kapos*, contramestres, todos em perfeitas condições físicas, claro! Depois foi a vez dos detentos comuns. O Dr. Mengele os examinava da cabeça aos pés. Vez ou outra anotava um número. Eu tinha um só pensamento: não deixar que pegassem meu número, não deixar que vissem meu braço esquerdo.

Na minha frente só restavam Tibi e Yossi. Eles passaram. Tive o tempo de perceber que Mengele não tinha anotado o número deles. Alguém me empurrou. Era minha vez. Corri

sem olhar para trás. Minha cabeça girava: você está muito magro, está fraco, muito magro, só serve para a chaminé... A corrida parecia interminável, tinha a impressão de estar correndo havia anos... Você está muito magro, muito fraco... Cheguei finalmente, esgotado. Recobrado o fôlego, perguntei a Yossi e Tibi:
– Inscreveram meu número?
– Não – respondeu Yossi. E acrescentou, sorrindo: – Nem teria como, você correu rápido demais...
Comecei a rir. Estava feliz. Minha vontade era abraçá-los. Naquela hora, pouco importavam os outros! Não tinham me inscrito.
Aqueles cujo número tinha sido anotado se mantinham à parte, abandonados pelo mundo inteiro. Alguns choravam em silêncio.

Os oficiais da SS foram embora. O chefe do bloco apareceu, seu semblante espelhando o cansaço de todos nós:
– Correu tudo bem. Não se preocupem. Não vai acontecer nada com ninguém. Com ninguém...
Ele ainda tentava sorrir. Um pobre judeu, magro, mirrado, questionou avidamente, a voz trêmula:
– Mas... mas, *blockelteste*, eles anotaram o meu número!
O chefe do bloco explodiu: o que estavam dizendo, não acreditavam nele?
– O que foi agora? Então estou mentindo? Vou falar de uma vez por todas: não vai acontecer nada com vocês! Com nenhum de vocês! Que estúpidos, como gostam de um desespero!

O sino tocou, indicando que a seleção se encerrara em todo o campo.

Corri com todas as minhas forças para o bloco 36; topei com meu pai no caminho. Ele vinha ao meu encontro:

– E aí? Passou?

– Sim. E você?

– Eu também.

O alívio que sentimos! Meu pai tinha um presente para mim: meia ração de pão, obtida em troca de um pedaço de borracha achado no depósito, que poderia servir para fazer uma sola de sapato.

O sino. Já tínhamos que nos separar, ir deitar. Tudo ali era regulado por um sino. Ele me dava ordens e eu as executava maquinalmente. Eu o odiava. Quando me acontecia de sonhar com um mundo melhor, só imaginava um universo sem sinos.

Alguns dias se passaram. Já nem nos lembrávamos da seleção. Íamos trabalhar como de costume e carregávamos pesadas pedras nos vagões. As rações ficaram mais magras: foi a única mudança.

Nos levantamos antes do amanhecer, como todo dia. Ganhamos nosso café preto, nossa ração de pão. Íamos sair para a frente de trabalho, como de costume. O chefe do bloco chegou correndo:

– Silêncio, um instante. Estou aqui com uma lista de números. Vou ler para vocês. Aqueles que eu chamar não vão para o trabalho hoje: ficarão no campo.

E, com uma voz frouxa, leu uma dezena de números.

Entendemos: eram os da seleção. O Dr. Mengele não tinha esquecido.

O chefe do bloco se dirigiu para seu quarto. Foi rodeado por uma dezena de prisioneiros, que o seguravam pela roupa:

– Nos salve! Você prometeu... Queremos ir para o trabalho, temos força para isso. Somos bons operários. Podemos trabalhar... queremos...

Ele tentou acalmá-los, tranquilizá-los, explicar que o fato de ficarem no campo não queria dizer muito, não tinha um significado trágico.

– Eu fico aqui todo dia...

O argumento era um tanto frágil. Ele percebeu, não disse mais nada e se trancou no quarto.

O sino acabava de tocar.

– Em fila!

Pouco importava agora se o trabalho era pesado. O essencial era se ver longe do bloco, longe do cadinho da morte, longe do centro do inferno.

Vi meu pai correndo em minha direção. De repente, senti medo.

– O que houve?

Sem fôlego, ele não conseguia falar.

– Eu também... eu também... me mandaram ficar no campo.

Tinham anotado seu número sem ele perceber.

– O que vamos fazer? – perguntei, angustiado.

Mas ele é que queria me tranquilizar:

– Ainda não temos certeza. Ainda há chances. Vão fazer uma segunda seleção hoje... uma seleção decisiva...

Fiquei quieto.

Ele sentia o tempo lhe faltar. Falava depressa: tinha tanta coisa a me dizer... Atrapalhava-se nas palavras, a voz se engasgava. Sabia que eu precisava ir dentro de instantes. E ele ia ficar só, tão só...

– Tome, pegue esta faca – falou. – Não preciso mais dela. Pode ser útil. E pegue também esta colher. Não as venda. Depressa! Anda, pega o que estou lhe dando! A herança...

– Não diga isso, pai. – Eu me sentia prestes a cair no choro. – Não quero que fale assim. Fique com a colher e com a faca. O senhor precisa delas tanto quanto eu. A gente se vê à noite, depois do trabalho.

Ele me fitou com seus olhos cansados e velados de desespero. Insistiu:

– Estou pedindo... Pegue, faça o que estou pedindo, filho. Não temos tempo... Faça o que seu pai está dizendo.

Nosso *kapo* gritou a ordem de se pôr em marcha.

O *kommando* se dirigiu para o portão do campo. Esquerda, direita! Mordi o lábio. Meu pai tinha ficado perto do bloco, encostado na parede. Ele então se pôs a correr para nos alcançar. Talvez tivesse esquecido de me dizer alguma coisa... Mas nós marchávamos rápido... Esquerda, direita!

Já nos encontrávamos no portão. Estavam fazendo a contagem em meio a uma barulheira de música militar. Estávamos do lado de fora.

Passei o dia inteiro feito um sonâmbulo. Tibi e Yossi vez ou outra me lançavam palavras fraternas. O *kapo* também tentava me tranquilizar. Tinha me dado um trabalho mais fácil naquele dia. Meu coração estava apertado. E me tratavam tão bem! Como a um órfão. Pensei: meu pai, mesmo agora, ainda está me ajudando.

Nem eu sabia o que queria, que o dia passasse depressa ou não. Tinha medo de me ver sozinho à noite. Seria tão bom morrer ali!

Finalmente pegamos o caminho de volta. Como queria que nos mandassem correr! A marcha militar. O portão. O campo. Corri até o bloco 36.

Ainda existiam milagres sobre a terra? Ele estava vivo. Tinha escapado da segunda seleção. Conseguira provar que ainda tinha utilidade... Devolvi a faca e a colher.

Akiba Drumer nos deixou, vítima da seleção. Nos últimos tempos, andava perdido no meio de nós, olhos vidrados, contando a todos sobre sua fraqueza: "Não aguento mais... Acabou..." Não havia jeito de animá-lo. Não escutava o que lhe diziam. Só fazia repetir que estava tudo acabado para ele, que não conseguia mais resistir, que não tinha mais forças nem fé para isso. Seus olhos se esvaziaram de repente, já não eram mais que duas chagas abertas, dois poços de pavor.

Não foi o único a perder a fé naqueles dias de seleção. Conheci um rabino de uma pequena cidade da Polônia, um velho encurvado, lábios sempre trêmulos. Rezava o tempo todo, no bloco, na frente de trabalho, nas filas. Recitava páginas inteiras do Talmude de memória, discutia consigo mesmo, fazia as perguntas e ele próprio as respondia. Um dia, ele me disse:

– Acabou. Deus não está mais conosco.

E, como que se arrependendo de ter pronunciado essas palavras de modo tão frio, tão seco, acrescentou, com a voz débil:

– Eu sei, não temos direito de dizer essas coisas. Sei disso. O homem é tão pequeno, tão miseravelmente ínfimo para tentar compreender os misteriosos caminhos de Deus. Mas o que eu posso fazer? Não sou um Sábio, um Justo, não sou um Santo. Sou uma simples criatura de carne e osso. Estou sofrendo o inferno na alma e na carne. Tenho olhos também, e vejo o que fazem aqui. Onde está a Misericórdia divina? Onde está Deus? Como posso, como é possível, acreditar nesse Deus de misericórdia?

Pobre Akiba Drumer, se tivesse conseguido continuar a acreditar em Deus, a ver naquele calvário uma provação divina, não teria sido levado pela seleção. Mas tão logo sentira as primeiras fissuras em sua fé, perdera toda razão para lutar e começara a agonizar.

Quando veio a seleção, já estava condenado de antemão, oferecendo o pescoço ao carrasco. Só nos pediu uma coisa:

– Daqui a três dias terei deixado de existir... Recitem o Kadish por mim.

Prometemos: dali a três dias, ao vermos subir a fumaça da chaminé, pensaríamos nele. Reuniríamos dez homens e faríamos um culto especial. Todos os seus amigos recitariam o Kadish.

Ele então se foi na direção do hospital, com passos quase firmes, sem olhar para trás. Uma ambulância o aguardava para levá-lo a Birkenau.

Vivíamos então dias terríveis. Recebíamos mais agressões que comida, andávamos sempre soterrados de trabalho. Três dias depois que ele partiu, esquecemos de recitar o Kadish.

Estava chegando o inverno. Os dias se fizeram mais curtos, e as noites, quase insuportáveis. Aos primeiros clarões do alvorecer, o vento gelado nos lanhava qual chicote. Deram-nos roupas de inverno: camisas listradas um pouco mais grossas. Os veteranos viram nisso mais uma oportunidade para zombar:
– Agora, sim, vocês vão ver o que é o campo!
Saíamos para o trabalho como de costume, o corpo gelado. Tínhamos a impressão de que nossas mãos ficariam grudadas nas pedras, tão geladas estavam. Mas a gente se acostuma com tudo.
No Natal e no ano-novo, não trabalhamos. Tivemos direito a uma sopa menos rala.

Lá por meados de janeiro, meu pé direito começou a inchar por causa do frio. Não conseguia mais pisar no chão. Fui me consultar. O médico, um grande médico judeu, detento como nós, foi categórico:
– Temos que operar! Se esperarmos mais, teremos que amputar os dedos, talvez a perna.
Era só o que me faltava! Mas não tinha escolha. O médico decidira operar, não havia o que discutir. Eu estava até feliz por ter sido ele a tomar a decisão.

Puseram-me numa cama com lençóis brancos. Eu tinha esquecido que as pessoas usavam lençóis para dormir.

Não era nada ruim, o hospital: tínhamos direito a um bom pão, a uma sopa mais grossa. Não havia sino, chamada nem trabalho. Eu conseguia, de vez em quando, mandar um pedaço de pão para meu pai.

Ao meu lado estava um judeu húngaro acometido de disenteria. Era só pele e osso, os olhos apagados. Eu só ouvia sua voz; era sua única manifestação de vida. De onde tirava forças para falar?

– Não se anime antes da hora, garoto. Aqui também existe seleção. E com mais frequência, inclusive, que lá fora. A Alemanha não precisa de judeus doentes. A Alemanha não precisa de mim. Ao chegar o próximo transporte, você terá um novo vizinho. Então me escute, siga o meu conselho: saia do hospital antes da seleção!

Essas palavras, vindas de debaixo da terra, de uma forma sem rosto, me encheram de pavor. Sim, sem dúvida, o hospital era um tanto exíguo, e se chegassem novos doentes seria preciso abrir espaço.

Mas talvez meu vizinho sem rosto, temendo estar entre as primeiras vítimas, só estivesse querendo me enxotar dali, liberar meu leito para ter uma chance de sobrevivência. Talvez só quisesse me assustar. Mas e se estivesse dizendo a verdade? Resolvi aguardar o desenrolar dos fatos.

O médico veio me anunciar que eu seria operado no dia seguinte.

– Não tenha medo – acrescentou. – Vai correr tudo bem.

Às dez da manhã, me levaram para a sala de cirurgia. "Meu" médico estava presente. Isso me reconfortou. Sentia que com ele ali nada de grave podia me acontecer. Cada palavra sua era um bálsamo e cada olhar seu me chegava como um sinal de esperança.

– Vai doer um pouquinho – disse ele –, mas logo passa. Cerre os dentes.

A cirurgia durou uma hora. Não me anestesiaram. Eu não tirava os olhos do meu médico. Depois me senti apagar...

Ao recuperar a consciência, abrindo os olhos só vi de início uma imensa brancura, os lençóis, depois avistei o rosto do médico acima do meu:

– Correu tudo bem. Você é corajoso, garoto. Agora vai ficar aqui duas semanas, descansar e pronto. Vai comer bem, relaxar o corpo e os nervos...

Eu apenas acompanhava os movimentos de seus lábios. Mal entendia o que dizia, mas o burburinho de sua voz me fazia bem. De repente um suor frio cobriu minha testa: não estava sentindo a perna! Será que a tinham amputado?

– Doutor – balbuciei. – Doutor?

– O que foi, garoto?

Não tive coragem de perguntar.

– Doutor, estou com sede...

Ele mandou que me trouxessem água. Sorria. Preparava-se para sair, ir ver outros doentes.

– Doutor?

– O que foi?

– Eu ainda vou poder usar minha perna?

Ele parou de sorrir. Senti muito medo. Ele me disse:

– Você confia em mim, garoto?

– Muito, doutor.

– Pois então me escute: daqui a quinze dias vai estar curado. Vai poder caminhar normalmente. A planta do seu pé estava cheia de pus. Só precisava drenar esse abscesso. Sua perna não foi amputada. Vai ver só: daqui a quinze dias vai estar andando por aí como todo mundo.

Só me restava esperar quinze dias.

Já no dia seguinte à cirurgia, porém, correu pelo campo um rumor de que o front, de repente, estava muito próximo. O Exército Vermelho, diziam, avançava sobre Buna: era só questão de horas.

Estávamos acostumados com rumores desse tipo. Não era a primeira vez que um falso profeta anunciava "paz no mundo", "negociações com a Cruz Vermelha pela nossa libertação" ou outras lorotas do gênero... E, não raro, acreditávamos... Era uma injeção de morfina.

Dessa vez, no entanto, as profecias pareciam mais consistentes. Nas últimas noites tínhamos ouvido, ao longe, o canhão.

Meu vizinho, o sem-rosto, disse:

– Não se deixe embalar por ilusões. Hitler deixou bem claro que ia aniquilar todos os judeus antes que o relógio batesse doze vezes, antes que eles pudessem ouvir a última badalada.

Explodi:

– E o que tem isso? Por acaso temos que considerar Hitler um profeta?

Seus olhos baços e gelados se firmaram. Terminou por dizer, com a voz cansada:

– Confio mais em Hitler do que em qualquer outro. Ele foi o único que cumpriu suas promessas, todas as suas promessas, ao povo judeu.

Nesse mesmo dia, às quatro horas, como sempre, o sino chamou todos os chefes de bloco para transmitirem um comunicado.
Saíram de lá arrasados. Só conseguiram pronunciar uma única palavra: "Evacuação". O campo seria esvaziado e nós seríamos mandados para a retaguarda. Para onde? Para algum lugar nos confins da Alemanha. Para outros campos – campos não faltavam.
– Quando?
– Amanhã à noite.
– Quem sabe os russos cheguem antes disso...
– Quem sabe.
Todos sabíamos muito bem que não.

O campo virou uma colmeia. Homens corriam, gritavam palavras de ordem. Todos os blocos se preparavam para pegar a estrada. Eu tinha até esquecido o problema no meu pé. Um médico entrou e anunciou:
– Amanhã, assim que anoitecer, o campo vai se pôr em marcha. Bloco por bloco. Os doentes poderão ficar na enfermaria. Não serão evacuados.
Essa notícia nos deu o que pensar. Quer dizer então que os SS iam deixar algumas centenas de detentos passeando pelos blocos-hospitais, só aguardando a chegada de seus li-

bertadores? Iam permitir que judeus ouvissem soar a 12ª hora? Claro que não.

– Todos os doentes serão abatidos à queima-roupa – disse o sem-rosto. – E jogados no crematório, numa última fornada.

– O campo com certeza foi minado – observou outro. – Depois da evacuação, vai tudo pelos ares.

Quanto a mim, não pensava na morte, só não queria me separar de meu pai. Já tínhamos sofrido tanto, passado por tanta coisa juntos... não podíamos nos separar agora.

Corri lá fora à sua procura. A neve estava espessa, as janelas dos blocos, cobertas de geada. Com um sapato na mão, pois não conseguia calçar o pé direito, corri sem sentir dor nem frio.

– O que vamos fazer?

Meu pai não respondeu.

– O que vamos fazer, pai?

Ele estava perdido em reflexões. A escolha estava em nossas mãos. Ao menos uma vez podíamos decidir nossa sorte. Ficarmos os dois no hospital, onde, com a ajuda do meu médico, podia fazê-lo entrar como doente ou como enfermeiro. Ou seguir com todos os outros.

Eu estava decidido a acompanhar meu pai aonde quer que fosse.

– E então, pai, o que vamos fazer?

Ele permanecia calado.

– Vamos com os outros – falei.

Ele não respondeu. Olhava para meu pé.

– Acha que consegue andar?

– Sim.

– Só espero que a gente não se arrependa, Eliezer.

Soube, depois da guerra, do destino dos que ficaram no hospital. Foram simplesmente libertados pelos russos, nove dias após a evacuação.

Não voltei mais ao hospital. Fui para o meu bloco. Meu ferimento se abrira e estava sangrando: a neve se tingia de vermelho sob meus passos.

O chefe do bloco distribuía rações de pão e margarina para a viagem. Roupas e camisas podíamos pegar quantas quiséssemos no depósito.

Fazia frio. Fomos nos deitar.

A última noite em Buna. Mais uma vez, a última noite. A última noite em casa, a última noite no gueto, a última noite no vagão e, agora, a última noite em Buna. Por quanto tempo nossa vida ainda se arrastaria de uma "última noite" para outra?

Não preguei o olho. Clarões vermelhos irrompiam pelas vidraças geadas. Tiros de canhão rasgavam o sossego noturno. Como estavam próximos, os russos! Entre eles e nós, uma noite, nossa última noite. Sussurrava-se de uma cama para outra: com alguma sorte, os russos chegariam antes da evacuação. A esperança subsistia.

Alguém clamou:

– Tentem dormir. Juntem forças para a viagem.

Aquilo me lembrou as últimas recomendações de minha mãe, no gueto.

Mas não conseguia pegar no sono. Meu pé queimava.

Pela manhã, o campo tinha mudado de cara. Os detentos exibiam trajes estranhos: parecia um baile de máscaras. Tinham enfiado várias roupas uma sobre a outra para melhor se proteger do frio. Pobres saltimbancos, mais largos que altos, mais mortos que vivos, pobres palhaços com a cara de fantasma emergindo de um amontoado de uniformes de condenados! Bufões.

Tentei achar um sapato bem grande. Em vão. Então rasguei uns trapos de cobertor e enrolei com eles o pé ferido. Depois saí pelo campo à cata de mais pão e uma ou outra batata.

Diziam alguns que iam nos levar para a Tchecoslováquia. Não, para Gross-Rosen. Não, para...

Duas horas da tarde. A neve continuava a cair forte.

As horas agora passavam depressa. Veio o crepúsculo. O dia se desfez numa névoa cinza.

O chefe do bloco lembrou, de repente, que tínhamos esquecido de limpar o lugar. Mandou quatro prisioneiros esfregarem o piso... Uma hora antes de deixarmos o campo! Por quê? Para quem?

– Para o exército libertador! – respondeu ele. – Para que saibam que aqui viviam homens, não porcos.

Então éramos homens? O bloco foi limpado a fundo, até os mínimos cantos.

Às seis horas, o sino tocou. O dobre fúnebre. O enterro. A procissão ia se pôr em marcha.

– Em fila! Rápido!

Em instantes estávamos em formação, por blocos. Acabara de anoitecer. Tudo seguia de acordo com o plano.

Acenderam-se os projetores. Centenas de SS armados surgiram da escuridão, acompanhados de pastores-alemães. A neve não cessava.

Os portões do campo se abriram. Uma noite ainda mais escura parecia à nossa espera do outro lado.

Os primeiros blocos se puseram em marcha. Ficamos esperando. Tínhamos que aguardar saírem os 56 blocos anteriores. Fazia muito frio. Eu levava no bolso dois pedaços de pão. Com que apetite os teria comido! Mas não podia. Não agora.

Estava chegando nossa vez: bloco 53... bloco 55...

– Bloco 57, em frente, marchar!

Nevava sem parar.

Capítulo VI

Um vento gelado soprava com violência. Mas caminhávamos sem um murmúrio.

Os SS nos fizeram apressar o passo. "Mais rápido, seus vermes, seus cães sarnentos!" Por que não? O movimento nos aquecia um pouco. O sangue nos corria melhor nas veias. Tínhamos a sensação de reviver...

"Mais rápido, seus vermes, seus cães sarnentos!" Já não andávamos, corríamos. Feito autômatos. Os SS corriam também, armas na mão. Parecíamos fugir na frente deles.

Noite escura. Um disparo, vez ou outra, explodia noite adentro. Eles tinham ordem para atirar em quem não conseguisse sustentar o ritmo da corrida. Dedo no gatilho, não se privavam. Era um de nós se deter um segundo, e um tiro abrupto eliminava um cão sarnento.

Eu punha um pé na frente do outro maquinalmente. Arrastava aquele corpo esquelético que ainda pesava tanto. Quem dera pudesse me livrar dele! Embora me esforçasse para não pensar, sentia que eu era dois: meu corpo e eu. Eu o odiava.

Repetia para mim mesmo: "Não pense, não pare, corra."
À minha volta, homens tombavam na neve suja. Tiros.

Ao meu lado andava um jovem polonês chamado Zalman, que trabalhava no depósito de material elétrico em Buna. Caçoavam dele porque estava sempre rezando ou ponderando sobre algum problema talmúdico. Era para ele uma maneira de escapar da realidade, de não sentir as pancadas...

De repente, começou a sentir pontadas no estômago. "Estou com dor de barriga", cochichou-me. Não conseguia continuar. Precisava parar um instante. Eu implorei:

– Espere mais um pouco, Zalman. Já vamos parar. Não vamos correr assim até o fim do mundo.

Mas ele, ainda correndo, começou a abrir as calças, gritando para mim:

– Não aguento mais. Minha barriga vai explodir...

– Faça um esforço, Zalman... Tente...

– Não aguento mais – gemia ele.

Calças abaixadas, deixou-se cair.

É a última imagem que tenho dele. Não creio que tenha sido um SS que o abateu, pois ninguém o tinha notado. Deve ter morrido pisoteado pelos milhares que vinham atrás de nós.

Logo o esqueci. Voltei a pensar em mim mesmo. Por causa do meu pé dolorido, um tremor me sacudia a cada passo. "Mais alguns metros, pensava, mais alguns metros e pronto. Vou cair. Uma faísca vermelha... Um tiro." A morte me envolvia a ponto de me sufocar. Colava em mim. Sentia que poderia tocá-la. A ideia de morrer, de deixar de existir, começava a me fascinar. Deixar de ser. Deixar de sentir dores terríveis no pé. Deixar de sentir. Cansaço, frio, tudo. Sair da fila, me deixar escorregar para a beira da estrada.

Só o que me impedia era a presença do meu pai... Ele corria ao meu lado, arquejante, exausto, em desespero. Eu não tinha o direito de me deixar morrer. O que seria dele sem mim? Eu era seu único apoio.

Esses pensamentos me ocuparam por um tempo, durante o qual continuei correndo sem sentir meu pé dolorido, sem sequer perceber que corria, sem consciência de possuir um corpo que galopava naquela estrada, entre milhares de outros.

Voltando a mim, tentei diminuir um pouco o passo. Mas não havia jeito. Aquelas ondas de homens varriam a estrada como um tsunami e me esmagariam como a uma formiga.

Eu já não passava de um sonâmbulo. Acontecia de cerrar as pálpebras, e era como se corresse dormindo. Vez ou outra alguém me empurrava brutalmente por trás e eu acordava. Um homem me gritava: "Vai mais rápido. Se não consegue, deixe os outros passarem." Mas bastava eu fechar os olhos um segundo para ver desfilar todo um mundo, para sonhar toda uma vida.

Estrada sem fim. Deixar-se empurrar pela massa, deixar-se arrastar pelo destino cego. Quando os SS se cansavam, eram substituídos. A nós, ninguém substituía. Membros enrijecidos pelo frio apesar da corrida, garganta seca, famintos, arfantes, nós prosseguíamos.

Éramos os senhores da natureza, os senhores do mundo. Tínhamos esquecido tudo, a morte, o cansaço, as necessidades fisiológicas. Mais fortes que o frio e a fome, mais fortes

que os tiros e o desejo de morrer, condenados e errantes, meros números, éramos os únicos homens sobre a terra.
Finalmente, a estrela da manhã surgiu no céu cinzento. Uma vaga claridade começava a se estender no horizonte. Não aguentávamos mais, estávamos sem forças, sem ilusões. O comandante anunciou que já tínhamos percorrido 70 quilômetros. Fazia tempo que havíamos ultrapassado os limites do cansaço. Nossas pernas se mexiam maquinalmente, sem nós, apesar de nós.
Atravessamos um vilarejo abandonado. Nenhuma alma viva. Nenhum latido. Casas com janelas escancaradas. Alguns escapuliram das fileiras para tentar se esconder em alguma construção vazia.
Mais uma hora de marcha e veio, enfim, a ordem de descansar.
Como se fôssemos um só, nos deixamos cair na neve. Meu pai me sacudiu.
– Aqui não... Levante-se... Um pouco mais adiante. Tem um galpão logo ali... Venha...
Eu não tinha nem forças nem vontade de me levantar. Mas obedeci. Não era um galpão, era uma fábrica de tijolos, com o telhado arrebentado, as vidraças quebradas, as paredes incrustadas de fuligem. Não foi fácil entrar. Centenas de detentos se amontoavam na porta.
Conseguimos, finalmente. Ali também a neve estava espessa. Me deixei cair. Só agora sentia toda a minha exaustão. A neve me parecia um tapete quentinho e macio. Caí no sono.
Não sei por quanto tempo dormi. Alguns instantes ou uma hora. Acordei com uma mão gelada dando tapinhas

no meu rosto. Fiz um esforço para abrir as pálpebras: era o meu pai.

Como envelhecera desde ontem à noite! Seu corpo estava todo torto, encolhido sobre si mesmo. Os olhos estavam petrificados, os lábios murchos, rachados. Tudo nele atestava lassidão extrema. Sua voz soava úmida de lágrimas e neve:

– Não se deixe levar pelo sono, Eliezer. É perigoso dormir na neve. Acaba-se adormecendo de vez. Venha, filho, venha. Levante-se.

Levantar? Como? Como me arrancar daquele edredom tão aconchegante? Eu ouvia as palavras de meu pai, mas me soavam sem sentido, como se me pedisse para carregar o galpão inteiro nos braços...

– Venha, meu filho, venha...

Enfim me levantei, cerrando os dentes. Com um braço a me amparar, ele me conduziu para fora. Não foi fácil. Sair era tão árduo quanto entrar. Sob os nossos passos, homens esmagados, pisoteados, agonizavam. Ninguém ligava.

Chegamos lá fora. O vento gelado açoitou meu rosto. Eu mordia os lábios sem cessar, para que não congelassem. Tudo em volta parecia dançar uma dança da morte. De dar vertigem. Eu estava andando num cemitério. Entre os corpos enrijecidos, toras de lenha. Nenhum grito de aflição, nenhum lamento, só uma silenciosa agonia de massa. Ninguém implorava ajuda a ninguém. Morria-se porque era preciso morrer. Sem criar problemas.

Em cada corpo enrijecido eu via a mim mesmo. E dali a pouco não ia mais nem vê-los, ia me tornar um deles. Era questão de horas.

– Venha, pai, vamos voltar para o galpão...

Ele não respondeu. Não estava olhando para os mortos.
- Venha, pai. Lá dentro é melhor. Podemos deitar um pouco. Um de cada vez. Eu velo por você, você vela por mim. Não nos deixamos dormir. Cuidamos um do outro.
Ele aceitou. Depois de pisotear muitos corpos e cadáveres, conseguimos voltar para o galpão. Desabamos no chão.
- Não se preocupe, filho. Durma, pode dormir. Eu fico de vigília.
- Primeiro você, pai. Durma.
Ele recusou. Deitei e me esforcei para dormir, cochilar um pouco, mas foi inútil. Deus sabe o que não teria dado por alguns instantes de sono. Mas, lá no fundo, sentia que dormir significava morrer. E algo em mim se revoltava contra essa morte. Ela se instalava à minha volta sem alarde, sem violência. Pegava um adormecido, esgueirava-se para dentro dele e o devorava pouco a pouco. Alguém ao meu lado tentava acordar seu vizinho, seu irmão talvez, ou um amigo. Em vão. Frustrado em seus esforços, deitou-se também, ao lado do cadáver, e adormeceu. E a ele, quem acordaria? Estendendo o braço, toquei nele.
- Acorde. É perigoso dormir aqui...
Ele entreabriu os olhos.
- Não quero conselhos - disse, num fiapo de voz. - Estou acabado. Me deixe em paz. Cai fora.
Meu pai também cochilava de leve. Eu não via seus olhos. O boné lhe tapava o rosto.
- Acorde - sussurrei-lhe ao ouvido.
Ele despertou num sobressalto. Endireitou-se e olhou em volta, perdido, perplexo. O olhar de um órfão. Observava

tudo em volta como se de repente tivesse resolvido fazer o inventário do seu universo, saber onde estava, em que lugar, como e por quê. Então sorriu.

Vou me lembrar para sempre daquele sorriso. De que mundo ele vinha?

A neve continuava a cair em flocos grossos sobre os cadáveres.

A porta do galpão se abriu. Um velho apareceu, bigode congelado, lábios azuis de frio. Era Rabi Eliahu, o rabino de uma pequena comunidade na Polônia. Um homem muito bom, a quem todos no campo queriam bem, até mesmo os *kapos* e os chefes dos blocos. Apesar das desgraças e provações, seu semblante ainda irradiava sua pureza interior. Era o único rabino, em Buna, que ninguém nunca deixava de tratar por "rabi". Lembrava aqueles profetas de antigamente, sempre no meio do povo para consolar a toda gente. E, estranhamente, suas palavras de consolo não revoltavam ninguém. Apaziguavam de verdade.

Ele entrou no galpão. Seus olhos, mais brilhantes que nunca, pareciam buscar alguém.

– Por acaso alguém viu meu filho por aí?

Tinha se perdido do filho na multidão. Tinha procurado por ele, em vão, entre os agonizantes. Depois tinha escavado a neve em busca do cadáver. Nada.

Durante três anos, os dois resistiram juntos. Sempre ao lado um do outro, no sofrimento, nas surras, na ração de pão e na oração. Três anos, de campo em campo, de seleção em seleção. E agora – quando o fim daquilo tudo parecia próximo – o destino os separava. Chegando perto de mim, Rabi Eliahu murmurou:

– Foi na estrada. Nos perdemos de vista no caminho. Eu fui ficando para trás. Não tinha mais forças para correr. E meu filho não percebeu. Depois, não sei de mais nada. Onde será que se meteu? Onde posso encontrá-lo? Por acaso não o viu por aí?

– Não, Rabi Eliahu, não o vi.

Ele então se foi como tinha vindo: como uma sombra varrida pelo vento.

Já cruzara a porta quando, de súbito, me lembrei de ter visto seu filho correndo ao meu lado. Tinha esquecido, e não tinha contado para Rabi Eliahu!

Mas logo me lembrei de outra coisa: seu filho o tinha visto perder terreno, retroceder, mancando, mais para o fim na coluna. Tinha visto. E continuara a correr à frente, deixando aumentar a distância entre eles.

Um pensamento terrível me ocorreu: ele tinha se desvencilhado de propósito! Sentira o pai fraquejar, achara que fosse seu fim e buscara essa separação para se livrar de um fardo que ameaçava reduzir suas chances de sobrevivência.

Ainda bem que eu tinha esquecido. Fiquei feliz por Rabi Eliahu continuar buscando um filho querido.

E, involuntariamente, brotou em meu peito uma prece para aquele Deus no qual já não acreditava.

– Meu Deus, Senhor do Universo, dá-me forças para que eu nunca faça o que fez o filho de Rabi Eliahu.

Gritos se ergueram lá fora, no pátio, onde caíra a noite. Os SS davam ordem de formar novamente as fileiras.

Retomamos a marcha. Os mortos ficaram no pátio, debaixo da neve, como guardas fiéis assassinados, sem sepultura. Ninguém recitou por eles a oração dos mortos. Filhos abandonaram o corpo dos pais sem uma lágrima sequer. Na estrada, nevava, nevava, nevava sem cessar. Íamos mais devagar. Os próprios guardas pareciam cansados. Meu pé ferido tinha parado de doer. Devia ter congelado de vez. Esse pé estava perdido para mim. Tinha se desprendido do meu corpo igual à roda de um carro. Fazer o quê? Tinha que me conformar: ia viver com uma perna só. O importante era não pensar nisso. Ainda mais agora. Os pensamentos que ficassem para depois.

Nossa marcha tinha perdido qualquer aparência de disciplina. Cada um andava como queria, como podia. Não se ouviam mais tiros. Nossos guardas deviam estar cansados.

A morte, porém, não precisava de ajuda. O frio cumpria diligentemente seu trabalho. A cada passo alguém tombava, deixava de sofrer.

De tempos em tempos, oficiais da SS de motocicleta passavam ao longo da coluna para sacudir a apatia crescente:

– Aguentem firme! Estamos chegando!

– Coragem! Só mais algumas horas!

– Estamos chegando em Gleiwitz!

Essas palavras de incentivo, mesmo vindo da boca de nossos assassinos, nos faziam um bem enorme. Ninguém queria abandonar a partida agora, na reta final, tão perto da linha de chegada. Nossos olhos perscrutavam o horizonte buscando os arames farpados de Gleiwitz. Nosso único desejo era chegar lá quanto antes.

A noite se instalou. A neve parou de cair. Ainda caminhamos por várias horas até chegarmos. Quando avistamos o campo, já estávamos em frente ao portão.

Kapos nos instalaram rapidamente nos barracões. Foi um tal de se empurrar, se esbarrar, como se aquele fosse o supremo refúgio, a porta de acesso à vida. Andávamos sobre corpos doloridos. Pisávamos em rostos lacerados. Nenhum grito; uns poucos gemidos. Meu pai e eu fomos lançados ao chão por aquela maré que arrebentava. De debaixo de nós veio um gemido rouco:

– Estão me esmagando... piedade!

Uma voz que não me era estranha.

– Estão me esmagando... piedade! Piedade!

A mesma voz apagada, o mesmo gemido, já ouvido antes em algum lugar. Aquela voz um dia tinha falado comigo. Onde? Quando? Anos antes? Não, só podia ter sido no campo.

– Piedade!

Senti que o estava esmagando. Cortando sua respiração. Tentei me erguer, fiz um esforço para sair de cima dele, para deixá-lo respirar. Mas também eu estava esmagado sob o peso de outro corpo. Respirava com dificuldade. Cravei as unhas em rostos desconhecidos. Saí mordendo tudo que via, buscando acesso ao ar. Ninguém gritava.

Então lembrei. Juliek! O rapaz de Varsóvia que tocava violino na banda de Buna...

– Juliek, é você?

– Eliezer... As 25 chicotadas... Sim... Eu lembro.

Ele se calou. Passou-se um longo momento.

– Juliek! Juliek, está me ouvindo?

– Estou... – disse ele com a voz fraca. – O que você quer?

– Como você está, Juliek? – perguntei, menos para saber a resposta do que para ouvi-lo falar, viver.

– Bem, Eliezer... Estou bem... Pouco ar... Exausto. Estou com os pés inchados. É bom descansar, mas meu violino... Pensei que tivesse enlouquecido. Onde é que o violino entrava nessa história?

– O que tem seu violino?

Ele ofegava.

– Tenho... tenho medo... que quebrem... meu violino... Eu... eu o trouxe.

Não consegui responder. Alguém tinha caído em cima de mim, tapando meu rosto. Não conseguia mais respirar, nem pela boca nem pelo nariz. Pingava suor na minha testa e nas costas. Era o fim, o fim da linha. É uma morte silenciosa, a sufocação. Não há como gritar, chamar por socorro.

Tentei me desvencilhar do meu assassino invisível. Todo o meu desejo de viver estava concentrado nas minhas unhas. Eu arranhava, lutava por um gole de ar. Lacerava uma carne pútrida que não reagia. Não conseguia me livrar daquela massa pesando sobre o meu peito. Seria com um morto que eu estava lutando?

Nunca saberei. Só posso dizer que venci. Consegui abrir uma fresta naquela muralha de agonizantes, uma frestinha pela qual foi possível sorver um pouco de ar.

– Pai, como você está? – perguntei assim que consegui pronunciar uma palavra.

Sabia que ele não devia estar longe.

– Bem! – respondeu uma voz longínqua, vinda de outro mundo. – Tentando dormir.

Tentando dormir. Aquilo fazia sentido? Podíamos dormir

ali? Não era perigoso esmorecer a vigilância, com a morte podendo se abater sobre nós a qualquer momento?

Estava pensando essas coisas quando ouvi o som de um violino. O som de um violino naquele barracão escuro onde mortos se empilhavam por cima dos vivos. Quem era o louco que estava tocando violino ali, à beira do próprio túmulo? Ou seria uma alucinação?

Devia ser Juliek.

Tocava um trecho de um concerto de Beethoven. Eu nunca tinha ouvido sons tão puros. Em tamanho silêncio.

Como ele conseguira sair dali, se arrancar de sob meu corpo sem que eu sentisse?

A escuridão era completa. Eu só ouvia aquele violino, e era como se a alma de Juliek lhe servisse de arco. Ele estava tocando sua vida. Sua vida inteira deslizava pelas cordas. Suas esperanças perdidas. Seu passado calcinado, seu futuro suprimido. Tocava o que nunca mais iria tocar.

Nunca esquecerei Juliek. Como esquecer aquele concerto para um público de mortos e agonizantes?! Ainda hoje, sempre que escuto Beethoven, meus olhos se fecham e, da escuridão, surge o rosto triste e pálido do meu camarada polonês se despedindo, ao violino, de uma plateia de exangues e moribundos.

Não sei por quanto tempo ele tocou. O sono me venceu. Quando acordei, à claridade do dia, vi Juliek na minha frente, encolhido, morto. Junto dele jazia seu violino, pisoteado, amassado, pequeno cadáver insólito e pungente.

Ficamos três dias em Gleiwitz. Três dias sem comer nem beber. Não nos permitiam sair do barracão. Os SS vigiavam a porta.

Eu tinha fome e sede. Devia estar muito sujo e extenuado, a julgar pelo aspecto dos demais. O pão que trouxéramos de Buna já fora havia muito devorado. Quem sabe quando nos dariam outra ração?

O front vinha atrás de nós. Escutávamos novos tiros de canhão, bem próximos. Mas já não tínhamos força nem coragem para pensar que não haveria tempo de os nazistas nos evacuarem, que os russos já estavam chegando.

Soubemos que seríamos deportados para o centro da Alemanha.

No terceiro dia, ao amanhecer, enxotaram-nos dos barracões. Cada um tinha uns cobertores jogados sobre os ombros, como xales de oração. Encaminharam-nos para um portão que dividia o campo em dois. Um grupo de oficiais da SS estava postado ali. Um burburinho percorreu nossas fileiras: uma seleção!

Os oficiais da SS faziam a triagem. Os fracos: para a esquerda. Os que andavam bem: para a direita.

Meu pai foi mandado para a esquerda. Corri atrás dele. Um oficial gritou às minhas costas:

– Volte aqui!

Eu me esgueirei entre os demais. Vários SS se precipitaram em meu encalço, criando tamanho tumulto que muitos dos que estavam à esquerda conseguiram voltar para a direita – meu pai e eu inclusive. Mas houve alguns tiros e alguns mortos.

Fizeram-nos sair do campo, todos nós. Após meia hora de marcha, chegamos ao meio de um prado atravessado por trilhos. Ficaríamos ali esperando o trem.

A neve caía densa. Proibido sentar ou sair do lugar. Uma espessa camada de neve começou a se formar sobre os nossos cobertores. Trouxeram-nos pão, a ração habitual. Nos atiramos sobre ele. Alguém teve a ideia de saciar a sede comendo neve. Foi logo imitado pelos demais. Como estávamos proibidos de nos abaixar, cada um pegou sua colher e comeu a neve acumulada nas costas do outro. Uma mordida de pão, uma colherada de neve. Os SS que observavam a cena achavam graça.

As horas passavam. Nossos olhos se cansaram de perscrutar o horizonte para ver aparecer o trem libertador. Foi só tarde da noite que ele chegou. Um trem infinitamente longo, composto por vagões de gado, sem telhado. Os SS nos empurraram para dentro, cerca de cem por vagão – tão magros que estávamos! Terminado o embarque, a composição se pôs em movimento.

Capítulo VII

Grudados uns nos outros na tentativa de resistir ao frio, a cabeça vazia e pesada ao mesmo tempo, um turbilhão de lembranças mofadas no cérebro. A indiferença entorpecia a mente. Ali ou em outra parte: que diferença fazia? Morrer hoje ou amanhã, ou depois? A noite se alongava, se alongava infinitamente.

Um clarão cinzento enfim surgiu no horizonte, revelando um emaranhado de formas humanas, cabeça encolhida nos ombros, acocoradas, amontoadas, um campo de lápides empoeiradas às primeiras luzes do dia. Tentei distinguir os que ainda viviam dos que já não existiam. Impossível. Meu olhar se demorou em um que, olhos abertos, fitava o vazio. Uma camada de neve encobria seu rosto lívido.

Meu pai estava encolhido ao meu lado, enrolado em seu cobertor, ombros carregados de neve. E se ele também estivesse morto? Chamei. Nenhuma resposta. Eu teria gritado, se fosse capaz. Ele não se mexia.

Subitamente me ocorreu com clareza: já não havia razão para viver, já não havia razão para lutar.

O trem parou no meio de um campo deserto. Alguns homens adormecidos despertaram com a parada brusca. Puseram-se de pé e lançaram um olhar perplexo ao redor.
Lá fora, uns SS passaram gritando:
– Joguem todos os mortos! Todos os cadáveres para fora!
Os vivos se alegraram. Mais espaço para eles. Voluntários puseram mãos à obra. Apalpavam os que permaneciam agachados.
– Aqui tem um! Venham pegá-lo!
Despiam-no, os sobreviventes dividiam avidamente suas roupas, depois dois "coveiros" o pegavam pela cabeça e pelos pés e o jogavam para fora do vagão, qual saco de farinha.
De todos os lados se ouvia:
– Venham logo! Aqui tem outro! Do meu lado. Não está mais se mexendo.
Só despertei de minha apatia quando vi uns homens se aproximarem de meu pai. Me joguei sobre seu corpo. Estava frio. Dei-lhe um tapa no rosto. Esfreguei suas mãos, gritando:
– Pai! Pai! Acorde. Vão te jogar do vagão...
Seu corpo continuava inerte.
Os dois coveiros me agarraram pela gola:
– Pare. Bem se vê que está morto.
– Não! – gritei. – Ele não está morto! Ainda não!
Comecei a estapeá-lo com mais força. Após alguns instantes, meu pai entreabriu as pálpebras, revelando olhos sem brilho.
– Estão vendo? – exclamei.
Os dois homens se afastaram.
Uns vinte corpos foram descarregados do nosso vagão.

Depois o trem retomou sua marcha, deixando atrás de si algumas centenas de órfãos nus, sem sepultura, num campo nevado da Polônia.

Não recebíamos nenhum alimento. Vivíamos de neve: ela nos fazia as vezes de pão. Os dias se assemelhavam às noites e as noites nos deixavam na alma o travo de sua escuridão. O trem rodava devagar, com frequência parava por algumas horas, depois tornava a partir. Nevava sem cessar. Varávamos os dias e as noites sentados encolhidos, uns sobre os outros, sem dizer palavra. Já não passávamos de corpos congelados. Pálpebras cerradas, esperávamos somente a parada seguinte para descarregar nossos mortos.

Quantos dias, quantas noites de viagem? Acontecia de atravessarmos localidades alemãs. De manhã bem cedo, em geral. Operários alemães estavam indo para o trabalho. Paravam e nos acompanhavam com o olhar, não muito surpresos.

Um dia em que estávamos parados, um operário tirou do alforje um pedaço de pão e o jogou dentro de um vagão. Foi um tumulto. Dezenas de esfomeados se engalfinhando por umas migalhas. Os operários alemães observaram a cena com grande interesse.

Anos depois, em Áden, assisti a uma cena semelhante. Os passageiros do nosso navio se entretinham jogando moedas para os "nativos", que mergulhavam para buscá-las. Uma

parisiense de ar aristocrático muito se divertia com aquilo. Então avistei dois meninos lutando mortalmente, tentando estrangular um ao outro, e implorei à mulher:
– Por favor, não atire mais moedas!
– Por que não? – retrucou ela. – Eu gosto de fazer caridade...
No vagão onde caíra o pão irrompera uma autêntica batalha. Foram uns para cima dos outros, pisoteando, estraçalhando, mordendo. Aves de rapina enfurecidas, ódio animalesco nos olhos; uma extraordinária vitalidade tomara conta deles, afiara-lhes as unhas e os dentes.

Uma pequena aglomeração de operários e curiosos se formara ao longo da ferrovia. Certamente nunca tinham visto um trem com semelhante carga. Não demorou, pedaços de pão foram caindo nos vagões aqui e ali. Os espectadores contemplavam aqueles homens esqueléticos se engalfinhando por um naco.

Caiu um pedaço no nosso vagão. Decidi não me mexer. Sabia, aliás, que não tinha forças para competir com aquelas dezenas de homens enfurecidos! Não longe de mim, vi um velho de quatro, se arrastando. Acabava de sair da luta. Levou a mão ao coração. Pensei, de início, que fora atingido no peito. Depois entendi: trazia dentro da camisa um pedaço de pão. Com extraordinária rapidez ele o pegou, levou à boca. Seus olhos brilharam; um sorriso, mais para uma careta, iluminou seu rosto mortiço. E se apagou em seguida. Uma sombra se avultara ao seu lado. E essa sombra se jogou sobre ele. Atordoado, zonzo das pancadas, o velho gritava:
– Meir, meu Meirzinho! Não está me reconhecendo? Sou eu, seu pai... Está me machucando... Está matando

o seu pai... Tenho pão... para você também... para você também...
Ele arriou. Ainda segurava um pedacinho na mão fechada. Fez menção de levá-lo à boca, mas o outro se lançou sobre ele e o tirou. O velho ainda murmurou qualquer coisa, soltou um gemido rouco e morreu, em meio à indiferença geral. O filho o revistou, pegou o pedaço e começou a devorá-lo. Não foi muito longe. Dois homens tinham visto e voaram para cima dele. E vieram mais outros. Quando se retiraram, havia perto de mim dois mortos lado a lado, pai e filho. Eu tinha 16 anos.

Em nosso vagão estava um amigo do meu pai, Meir Katz. Em Buna, trabalhava como hortelão e vez ou outra nos fornecia alguma verdura. Menos desnutrido, suportara melhor a detenção. Devido ao seu relativo vigor, fora nomeado responsável por nosso vagão.

Na terceira noite da nossa viagem, acordei de repente com duas mãos no meu pescoço tentando me estrangular. Só tive tempo de gritar: "Pai!"

Somente essa palavra. Sentia-me sufocar. Mas meu pai acordou e agarrou meu agressor. Fraco demais para vencê-lo, teve a ideia de chamar Meir Katz:

— Venha aqui, depressa! Estão estrangulando meu filho!

Fui socorrido em instantes. Nunca soube por que motivo aquele homem quis me estrangular.

Dias depois, Meir Katz comentou com meu pai:

— Estou definhando, Shlomo. Perdendo as forças. Não vou aguentar...

– Não se entregue! – tentava encorajar meu pai. – Resista! Não perca a confiança em si mesmo!

Mas Meir Katz gemia debilmente:

– Não aguento mais, Shlomo!... O que posso fazer?... Não aguento mais...

Meu pai o pegou pelo braço. E Meir Katz, o forte, o mais robusto de nós todos, chorou. Seu filho tinha-lhe sido tirado quando da primeira seleção e só agora ele chorava. Só agora desmoronava. Não aguentava mais. Tinha chegado ao limite.

No último dia da nossa viagem, ergueu-se um vento terrível; e a neve não cessava de cair. Sentíamos que o fim estava próximo, o verdadeiro fim. Não aguentaríamos muito mais tempo naquele vento gélido, naquela borrasca.

Alguém se levantou e gritou:

– Não podemos ficar sentados com um tempo desses! Assim morremos congelados! Vamos nos levantar, nos movimentar um pouco...

Todos nos levantamos, segurando com mais força nossos cobertores encharcados. E nos esforçamos para andar uns passos, girar no lugar.

Então um grito irrompeu no vagão, um grito de animal ferido. Alguém acabava de expirar.

Outros, que também se sentiam à beira de morrer, imitaram seu grito. E seus gritos pareciam vir de além-túmulo. Logo estavam todos gritando. Lamentos, gemidos. Gritos de aflição lançados ao vento e à neve.

Aquilo se alastrou para outros vagões. E centenas de gritos se ergueram a um só tempo. Sem saber contra quem. Sem saber por quê. O estertor de agonia de um comboio inteiro sentindo que o fim se aproximava. Íamos todos terminar ali. Todos os limites haviam sido ultrapassados. Ninguém tinha mais forças. E a noite ainda seria longa.

Meir Katz gemia:

– Por que não nos fuzilam de uma vez?

Naquele mesmo dia, chegamos ao nosso destino. Era tarde da noite. Guardas vieram nos descarregar. Os mortos foram abandonados nos vagões. Somente os que ainda se sustentavam em pé puderam descer.

Meir Katz ficou no trem. O último dia tinha sido o mais mortífero. Éramos uma centena de homens ao subir naquele vagão. Éramos uma dúzia ao descer. Meu pai e eu entre eles.

Chegáramos a Buchenwald.

Capítulo VIII

À entrada do campo, os oficiais da SS nos aguardavam. Fomos contados. Depois nos conduziram à praça da chamada. Ordens eram dadas por alto-falantes: "Em filas de cinco", "Cinco passos à frente".
Apertei com força a mão do meu pai. O medo antigo e familiar: não me perder dele.
Bem perto de nós se erguia a alta chaminé do forno crematório. Não nos impressionava mais. Mal nos chamava a atenção.
Um veterano de Buchenwald nos disse que íamos tomar uma ducha e em seguida seríamos distribuídos pelos blocos. A ideia de tomar um banho quente me fascinava. Meu pai estava calado. Respirava pesadamente ao meu lado.
– Só mais um pouco, pai – falei. – Logo vamos poder deitar. Numa cama. Você vai poder descansar...
Ele não respondeu. E eu também estava tão exausto que seu silêncio me foi indiferente. Só queria saber de tomar banho quanto antes e deitar numa cama.
Mas não era fácil chegar às duchas. Centenas de detentos

se amontoavam junto à porta. Os guardas não conseguiam impor ordem. Batiam a torto e a direito, sem resultados visíveis. Outros, sem forças para o empurra-empurra, nem mesmo para ficar de pé, sentaram-se na neve. Meu pai quis imitá-los. Ele gemia.

– Não aguento mais... Acabou... Vou morrer aqui...

Puxou-me até um montículo de neve do qual emergiam formas humanas, farrapos de cobertores.

– Me deixe aqui – pediu. – Não aguento mais... Tenha piedade de mim... Vou esperar aqui até podermos entrar nos banhos... Você vem me buscar.

Minha vontade era chorar de raiva. Tendo passado por tanta coisa, tanto sofrimento; ia deixar meu pai morrer agora? Agora que poderíamos tomar um bom banho quente e nos deitar?

– Pai! – gritei. – Pai! Levante daí agora mesmo! Assim você se mata...

E o segurei por um braço. Ele continuava a gemer:

– Não grite, filho... Tenha piedade do seu velho pai... Me deixe descansar aqui... um pouco... Por favor, estou tão cansado... esgotado...

Estava igual a uma criança: fraco, medroso, vulnerável.

– Pai, você não pode ficar aqui.

Mostrei os cadáveres à sua volta: eles também só tinham querido descansar.

– Sim, filho, estou vendo. Deixe que durmam. Faz tanto tempo que não fecham os olhos... Estão esgotados... esgotados...

Havia carinho em sua voz.

E eu gritei ao vento:

– Eles nunca mais vão acordar! Nunca mais, está entendendo?

Discutimos assim por um bom tempo. Eu sentia que não era com ele que discutia, mas com a própria morte, a morte que ele já tinha escolhido.

As sirenes começaram a uivar. Alerta. As luzes se apagaram em todo o campo. Os guardas nos enxotaram para os blocos. Num piscar de olhos, não havia mais ninguém na praça da chamada. Estávamos bem felizes por não ter que ficar mais tempo lá fora, no vento glacial. Deixamo-nos cair nos grabatos. Havia vários andares de camas. Os caldeirões de sopa, na porta de entrada, não encontraram interessados. Dormir era só o que importava.

Fazia dia claro quando acordei. Então lembrei que tinha um pai. Durante o alerta, tinha acompanhado a multidão sem atentar para ele. Sabia que estava no fim de suas forças, à beira da agonia, e mesmo assim o tinha abandonado.

Saí à sua procura.

No mesmo instante, porém, me veio este pensamento: "Tomara que não o encontre! Quem dera pudesse me livrar desse peso morto e lutar com todas as minhas forças por minha própria sobrevivência, cuidar só de mim mesmo." Imediatamente senti vergonha, vergonha de mim, pelo resto da vida.

Andei horas a fio sem conseguir encontrá-lo. Cheguei enfim a um bloco onde estavam distribuindo "café". Havia fila, brigas.

Uma voz chorosa, suplicante, me pegou pelas costas:
– Eliezer... meu filho... me traga... um pouco de café...
Corri até ele.
– Pai! Te procurei tanto... Onde você estava? Você dormiu?... Como está se sentindo?
Devia estar ardendo em febre. Abri caminho até o caldeirão de café feito um bicho selvagem. E consegui pegar uma caneca. Tomei um gole. O resto era para ele.
Nunca vou esquecer a gratidão que iluminou seus olhos ao tomar aquela beberagem. A gratidão de um animal. Com aqueles poucos goles de água quente eu decerto lhe dei mais alegria do que em minha infância inteira...
Ele estava deitado no catre... lívido, lábios pálidos e ressequidos, o corpo sacudido por tremores. Não pude ficar mais tempo com ele. Veio a ordem de esvaziar o local para dar lugar à limpeza. Somente os doentes podiam permanecer.
Ficamos cinco horas lá fora. Distribuíram sopa. Quando nos permitiram voltar para os blocos, corri até meu pai:
– Você comeu?
– Não.
– Por quê?
– Não nos deram nada... Disseram que estamos doentes, que vamos morrer logo e seria desperdiçar comida... Não aguento mais...
Dei para ele o que me restava de sopa. Mas com o coração apertado. Senti que não lhe dava de boa vontade. Tal como o filho de Rabi Eliahu, eu não resistira à provação.

Ele foi definhando dia após dia, o olhar velado, o rosto cor de folha seca. No nosso terceiro dia em Buchenwald, todos foram para as duchas. Mesmo os doentes, que entrariam por último.

Na volta do banho, tivemos que esperar muito tempo lá fora. Ainda não terminara a limpeza dos blocos.

Avistando meu pai de longe, corri ao seu encontro. Ele passou por mim como uma sombra, sem se deter, sem me olhar. Chamei, ele não se virou. Corri atrás dele:

– Pai, está correndo assim para onde?

Ele olhou para mim um instante e seu olhar estava longe, iluminado, era o rosto de um outro. Foi só um instante, e prosseguiu sua corrida.

Acometido de disenteria, meu pai estava deitado no seu bloco, e com ele, outros cinco doentes. Eu estava sentado ao seu lado, velando-o, já não ousando acreditar que ele ainda podia escapar da morte. Mesmo assim fazia de tudo para lhe dar esperança.

De súbito, ele se ergueu no catre e encostou os lábios febris no meu ouvido:

– Eliezer... Preciso te dizer onde estão o ouro e a prata que enterrei... No porão... Você sabe...

E começou a falar, cada vez mais depressa, como se temesse não ter tempo de dizer tudo. Tentei lhe dizer que ainda não era o fim, que voltaríamos juntos para casa, mas ele não queria mais me ouvir. Não podia mais. Estava exaurido. Um fio de baba mesclado de sangue escorria de seus lábios. Ele fechara as pálpebras. Sua respiração se fez ofegante.

Por uma ração de pão, consegui trocar de lugar com um detento daquele bloco. À tarde chegou o médico. Fui dizer a ele que meu pai estava muito doente.

– Traga-o aqui!

Expliquei que ele não se sustentava em pé. Mas o médico não quis saber. A duras penas, levei meu pai. Ele o fitou, depois indagou secamente:

– O que você quer?

– Meu pai está doente – respondi em seu lugar. – Está com disenteria...

– Disenteria? Não é minha área. Eu sou cirurgião. Podem ir! Deem lugar para os outros!

De nada adiantaram meus protestos.

– Não aguento mais, filho... Me leve de volta para o bloco...

Levei-o de volta e o ajudei a deitar. Ele tremia.

– Tente dormir um pouco, pai. Tente dormir...

Sua respiração estava congestionada, densa. Mantinha os olhos fechados. Mas eu tinha certeza de que via tudo. De que agora via a verdade de todas as coisas.

Chegou outro médico no bloco. Mas meu pai não quis mais se levantar. Sabia que seria inútil.

Esse médico, aliás, só estava ali para acabar com os doentes. Eu o ouvi gritando para eles que eram uns preguiçosos, que queriam só ficar na cama... Pensei em pular no seu pescoço e esganá-lo. Mas não tinha coragem nem forças para isso. Estava fixado na agonia do meu pai. Minhas mãos doíam de tão crispadas. Esganar o médico e os outros todos!

Incendiar o mundo! Assassinos de meu pai! Mas o grito ficava preso na garganta.
Ao voltar da distribuição do pão, encontrei meu pai chorando feito criança:
– Filho, eles batem em mim!
– Quem?
Pensei que estivesse delirando.
– Ele, o francês... e o polonês... eles bateram em mim... Uma chaga a mais no coração, um ódio adicional. Menos uma razão para viver.
– Eliezer... Eliezer... Diga para eles não me surrarem... Eu não fiz nada... Por que me surram?
Comecei a xingar os dois vizinhos de catre. Eles zombaram de mim. Prometi pão, sopa. Eles riam. Depois ficaram furiosos. Não aguentavam mais meu pai, diziam, que não conseguia se arrastar até lá fora para fazer as necessidades.

No dia seguinte ele se queixou que tinham lhe tomado sua ração de pão.
– Enquanto você dormia?
– Não. Eu não estava dormindo. Eles vieram para cima de mim. Me arrancaram o meu pão... E me bateram... De novo... Não aguento mais, meu filho... Um pouco d'água...
Eu sabia que ele não deveria beber. Mas ele implorou tanto que cedi. A água era para ele o pior veneno, mas o que eu ainda podia fazer por ele? Com água ou sem água, aquilo acabaria em breve...
– Pelo menos você, tenha piedade de mim...
Ter piedade dele! Eu, seu único filho!

Uma semana se passou assim.

– Este aqui é seu pai? – perguntou-me o responsável pelo bloco.

– Sim.

– Ele está muito doente.

– O médico não quer fazer nada por ele.

Ele olhou dentro dos meus olhos:

– O médico não *pode* fazer mais nada por ele. Nem você.

Pôs a mão grande e peluda no meu ombro e acrescentou:

– Preste atenção, garoto. Não se esqueça de que está num campo de concentração. Aqui, cada um tem que lutar por si sem pensar nos outros. Nem no próprio pai. Aqui não tem pai, não tem irmão, não tem amigo. Cada um vive e morre por si, sozinho. Vou lhe dar um bom conselho: não dê mais sua ração de pão e sopa para seu velho pai. Não pode fazer mais nada por ele. E está matando a si mesmo. Você é que devia ficar com a ração dele...

Escutei sem interrompê-lo. Ele está certo, pensava, bem lá no íntimo, sem ousar confessá-lo. É tarde demais para salvar seu velho pai, dizia a mim mesmo. Você podia ficar com duas rações de pão, duas rações de sopa...

Foi só uma fração de segundo, mas me senti culpado. Corri para buscar um pouco de sopa e dei para meu pai. Mas ele não quis; seu único desejo era água.

– Não tome água, coma sopa...

– Estou queimando... Por que é tão mau comigo, filho?... Água...

Eu lhe trouxe água. Depois saí do bloco para a chamada.

Mas logo voltei. Deitei no beliche de cima. Os doentes podiam permanecer no bloco. Pois bem, eu seria um doente. Não queria deixar meu pai.

Ao redor reinava agora o silêncio, perturbado apenas pelos gemidos. Na frente do bloco, os SS davam ordens. Um oficial passou diante das camas. Meu pai implorava:

– Água, meu filho... Estou queimando... Minhas entranhas...

– Silêncio aí! – berrou o oficial.

– Eliezer – continuava meu pai –, água...

O oficial se aproximou e lhe gritou que calasse a boca. Mas meu pai não ouvia. Continuava a me chamar. O oficial então lhe desferiu uma cacetada brutal na cabeça.

Não me mexi. Tinha medo, meu corpo tinha medo de ser espancado também.

Meu pai ainda soltou um gemido rouco – e foi meu nome: "Eliezer."

Vi que ainda respirava, aos trancos. Não me mexi.

Quando desci, depois da chamada, ainda pude ver seus lábios murmurando alguma coisa, num tremor. Debruçado sobre ele, fiquei mais de uma hora a contemplá-lo, a gravar em mim seu rosto ensanguentado, sua cabeça arrebentada.

Depois tive que me deitar. Subi no beliche, acima do meu pai ainda vivo. Era 28 de janeiro de 1945.

Acordei ao amanhecer do dia 29. No lugar de meu pai jazia outro doente. Devem tê-lo tirado antes do alvorecer e o levado ao crematório. Talvez ainda respirasse...

Não houve oração sobre seu túmulo. Nem vela acesa em

sua memória. Sua última palavra foi meu nome. Um apelo, e eu não atendi.

Não chorei, e não conseguir chorar me doía. Mas eu não tinha mais lágrimas. E bem lá no fundo, se vasculhasse as profundezas de minha débil consciência, talvez encontrasse algo como: enfim livre!...

Capítulo IX

Eu ainda ficaria em Buchenwald até 11 de abril. Não vou falar da minha vida nesse período. Já não tinha importância. Após a morte de meu pai, nada mais me tocava.
Fui transferido para o bloco das crianças, onde éramos seiscentos.
O front se aproximava.
Passava os dias no mais completo ócio. Com um único desejo: comer. Não pensava mais em meu pai, nem em minha mãe.
Vez ou outra acontecia de eu sonhar. Com um pouco de sopa. Com um suplemento de sopa.

Em 5 de abril, a roda da História deu uma volta.
A tarde já ia avançada. Estávamos no bloco, em pé, esperando um SS vir fazer a contagem. Ele estava demorando. Nunca se vira um tal atraso, até onde a memória dos buchenwaldianos alcançava. Devia estar acontecendo alguma coisa.

Duas horas depois, os alto-falantes transmitiram uma ordem do chefe do campo: todos os judeus deveriam se apresentar na praça da chamada.

Era o fim! Hitler ia cumprir sua promessa.

Os garotos do bloco se dirigiram à praça. Não tínhamos alternativa: Gustav, o responsável pelo bloco, deixava isso claro brandindo seu porrete... No caminho, porém, cruzamos com prisioneiros que nos sussurraram:

– Voltem para seu bloco. Os alemães querem fuzilá-los. Voltem para seu bloco e não saiam de lá.

Voltamos. No caminho, soubemos que a organização de resistência do campo decidira não abandonar os judeus e impedir sua eliminação.

Como estava ficando tarde e a desordem era grande – inúmeros judeus tinham se passado por não judeus –, o chefe do campo decidiu que uma chamada geral seria efetuada no dia seguinte. Todos deveriam se apresentar.

Fez-se a chamada. O chefe do campo anunciou que o campo de Buchenwald seria liquidado. Dez blocos de deportados seriam evacuados por dia. Dali em diante, não houve mais distribuição de pão e sopa. E teve início a evacuação. A cada dia, alguns milhares de detentos cruzavam a porta do campo e não retornavam mais.

Em 10 de abril, ainda éramos cerca de 20 mil no campo, incluindo algumas centenas de garotos. Decidiram nos evacuar todos de uma vez. Até o anoitecer. Depois disso, explodiriam o campo.

Estávamos então concentrados na imensa praça da chamada, em filas de cinco, esperando o portão se abrir. De repente, as sirenes se puseram a uivar. Alerta. Retornamos para os blocos. Era tarde demais para nos evacuar naquele dia. A evacuação foi adiada para o dia seguinte.

A fome nos torturava; fazia quase seis dias que não comíamos mais que um pouco de grama e umas cascas de batata encontradas nas imediações da cozinha.

Às dez da manhã, os SS se espalharam pelo campo, obrigando as últimas vítimas a se dirigirem à praça da chamada. O movimento de resistência então decidiu entrar em ação. Homens armados surgiram de repente, de todos os lados. Rajadas. Explosões de granadas. Nós, os jovens, permanecemos de bruços no chão no bloco.

A batalha não durou muito. Lá pelo meio-dia, estava tudo calmo outra vez. Os SS tinham fugido e os resistentes assumiram a direção do campo.

Por volta das seis da tarde, o primeiro tanque americano se apresentou às portas de Buchenwald.

Nosso primeiro gesto de homens livres foi nos precipitar sobre os mantimentos. Só pensávamos nisso. Não em vingança, nem em nossos pais. Só no pão.

E mesmo depois de matar a fome, não houve ninguém para pensar em vingança. No dia seguinte, alguns jovens correram até Weimar para buscar batatas e roupas – e se deitar com mulheres. Mas de vingança, nem sinal.

Três dias após a libertação de Buchenwald, caí gravemente enfermo: intoxicação. Fui transferido para o hospital e passei duas semanas entre a vida e a morte.

Então um dia, reunindo todas as minhas forças, consegui me levantar. Queria me ver no espelho que havia pendurado na parede em frente. Nunca mais tinha me visto desde o gueto.

Do fundo do espelho, um cadáver me contemplava de volta.

Seu olhar nos meus olhos não sai mais de mim.

CONHEÇA OUTROS TÍTULOS
DA EDITORA SEXTANTE

A bailarina de Auschwitz
Edith Eva Eger

Edith Eva Eger era uma bailarina de 16 anos quando o Exército alemão invadiu seu vilarejo na Hungria. Seus pais foram enviados à câmara de gás, mas ela e a irmã sobreviveram. Edith foi encontrada pelos soldados americanos em uma pilha de corpos dados como mortos.

Mesmo depois de tanto sofrimento e humilhação nas mãos dos nazistas, e após anos e anos tendo que lidar com as terríveis lembranças e a culpa, ela escolheu perdoá-los e seguir vivendo com alegria. Já adulta e mãe de família, resolveu cursar psicologia.

Hoje ela trata pacientes que também lutam contra o transtorno de estresse pós-traumático e já transformou a vida de veteranos de guerra, mulheres vítimas de violência doméstica e tantos outros que, como ela, precisaram enfrentar a dor e reconstruir a própria vida.

Este é um relato emocionante de suas memórias e de casos reais de pessoas que ela ajudou. Uma lição de resiliência e superação, em que Edith nos ensina que todos nós podemos escapar à prisão da nossa própria mente e encontrar a liberdade, não importam as circunstâncias.

A liberdade é uma escolha
Edith Eva Eger

Em seu primeiro livro, Edith Eva Eger emocionou o mundo ao contar como sobreviveu aos horrores da guerra e transformou seu sofrimento numa jornada de perdão e cura, ajudando milhares de pessoas a lidar com seus traumas mais profundos.

Agora, em *A liberdade é uma escolha*, ela apresenta ensinamentos práticos que vão nos ajudar a identificar nossas próprias prisões mentais e a desenvolver as estratégias necessárias para nos libertarmos delas.

Afinal, o que importa não é o que nos aconteceu, mas o que faremos de agora em diante e como poderemos encontrar na dor o aprendizado de que precisamos para seguir em frente.

Este livro é uma verdadeira lição de esperança e superação – uma afirmação do poder que temos sobre nossa própria felicidade e um oportuno lembrete de que a liberdade é uma escolha que podemos fazer todos os dias, independentemente das circunstâncias.

A última grande lição
Mitch Albom

Cada um de nós teve na juventude uma figura especial que, com paciência, afeto e sabedoria, nos ajudou a escolher caminhos e olhar o mundo sob uma perspectiva diferente. Talvez tenha sido um avô, um professor ou um amigo da família – uma pessoa mais velha que nos compreendeu quando éramos jovens, inquietos e inseguros.

Para Mitch Albom, essa pessoa foi Morrie Schwartz, seu professor na faculdade. Vinte anos depois, eles se reencontraram quando o velho mestre estava à beira da morte. Com o contato e a afeição restabelecidos, Mitch passou a visitar Morrie todas as terças-feiras, tentando sorver seus últimos ensinamentos.

Durante 14 encontros, eles trataram de temas fundamentais para a felicidade e a realização humana. Através das ágeis mãos de Mitch e do bondoso coração de Morrie nasceu *A última grande lição*, que nos transmite maravilhosas reflexões sobre amor, amizade, medo, perdão e morte.

Este livro foi o último desejo de Morrie e sua última grande lição: deixar uma profunda mensagem sobre o sentido da vida. Transmitida com o esmero de um aluno dedicado, esta comovente história real é uma verdadeira dádiva para o mundo.

Para saber mais sobre os títulos e autores da Editora Sextante,
visite o nosso site e siga as nossas redes sociais.
Além de informações sobre os próximos lançamentos,
você terá acesso a conteúdos exclusivos
e poderá participar de promoções e sorteios.

sextante.com.br